Edwin Winkels

Haar laatste vlucht

ROMAN

NAAR EEN WAARGEBEURD VERHAAL

Uitgeverij Brandt
Amsterdam 2014

Bijna alle personages in deze roman hebben bestaan of leven nog. De namen zijn hun werkelijke namen. De gebeurtenissen hebben zich grotendeels afgespeeld zoals beschreven. Dialogen, gesprekken, gevoelens en gedachten van de personages, hoewel gebaseerd op gesprekken met familieleden en andere betrokkenen en op schriftelijke bronnen, zijn voor verantwoording van de auteur.

Omslag: Studio Jan de Boer
Beeld omslag voorzijde: familiealbum Ana Bernal Arias
Beeld omslag achterzijde: privécollectie auteur en familiealbum Ana Bernal Arias
Auteursfoto: Ferran W. Carmona
Typografie: Zeno Carpentier Alting
NUR 301 / 634
ISBN/EAN 978-94-92037-04-6

Para ti, estés donde estés

Voor jou, waar je ook moge zijn

De allerlaatste reis

En ik zal gaan. En de vogels zullen blijven zingen;
en mijn moestuin zal blijven met zijn groene boom,
en zijn witte waterput.
Alle avonden zal de hemel blauw zijn en vredig;
en zullen de klokken van de klokkentoren luiden
zoals ze vanavond luiden.
Ze zullen sterven, zij die me liefhadden;
en elk jaar weer zal het dorp veranderen;
en in die hoek van mijn bloeiende moestuin met zijn
witgekalkte muren
zal mijn ziel rondzwerven, nostalgisch.
En ik zal gaan; en ik zal alleen zijn, ontheemd,
zonder groene boom,
zonder witte waterput,
zonder blauwe en vredige hemel…
En de vogels zullen blijven zingen.

(El viaje definitivo, Juan Ramón Jiménez, 1905)

PROLOOG

De vrouwen huilden. De sneeuw smoorde hun snikken terwijl ze Luciano Otero bij de arm grepen. De jonge boer keek in hun ogen, acht paar ogen die niets leken te zien. Zijn paard stond achter hem te snuiven, het brieste wolken stoom het donker in. De lippen van de vrouwen trilden. In de vroege ochtend aan de voet van de bergen was het twee graden onder nul.

Niemand had geslapen. De familieleden, die in de herberg aan de hoofdweg naar Segovia bij het haardvuur in de salon hadden overnacht, wankelden op de rand van wanhoop en uitputting. Anderen kwamen net aanrijden, vanuit Madrid of andere plaatsen waar reddingswerkers een dag eerder hadden gezocht. De nacht was veel te lang geweest. De bergen hadden zich de avond tevoren al vroeg in hun onneembare eenzaamheid verscholen zonder dat ze hun geheim hadden prijsgegeven. De koeien stonden sinds een week op stal, de konijnen hadden zich in hun holen verschanst, de vogels waren verdwenen. Geen wandelaar zou zich dit weekeinde voor zijn plezier naar boven wagen.

Luciano wist dat het vliegtuig daar moest liggen. Iedereen in het dorp was ervan overtuigd. Sommigen hadden het toestel donderdag gehoord. Het had laag gevlogen, vanuit het noordwesten, over de weidse vlakte richting de bergen. De vlakte liep snel omhoog, de weilanden werden bossen en daar weer boven, tot tweeduizend meter hoogte, lag slechts een woeste wand van stenen. Enkele dorpelingen hadden een knal gehoord, ze dachten dat het onweer was. Het had gebliksemd die avond, bijna niemand had zich op straat gewaagd. Maar het tijdstip dat in de kranten werd vermeld, het laatste contact dat er rond kwart over zes met het vliegtuig uit Vigo was geweest, kwam overeen met het moment van die vreemde donder in de bergen.

De autoriteiten waren vrijdag, de dag na de vermissing, ergens anders gaan zoeken; zuidelijker en westelijker in de Sierra van Guadarrama, de bergketen die zich als een natuurlijke beschutting – vroeger tegen de barbaren, nu alleen tegen de noorderwind – zeventig kilometer lang boven Madrid uitstrekte. Honderden agenten en burgers waren de besneeuwde Monte Abantos op gegaan of hadden gezocht in de drijfnatte bossen van de vallei van Cuelgamuros, waar dictator Franco eerder dat jaar in een gigantische grot zijn eerste doden van de Burgeroorlog had laten begraven. Het pompeuze kruis bovenop, honderdvijftig meter hoog, was vanaf tientallen kilometers ver te zien.

De voortschrijdende tijd wurgde de hoop op een goede afloop als een langzaam aangetrokken garrote.

Het terrein was moeilijk begaanbaar en soms totaal ontoegankelijk. De bergen gedoogden indringers in het voorjaar, tijdens de zomer en bij een zachte herfst, maar niet in de eerste donkere dagen van storm en kou.

Deze zaterdagochtend werd de zoektocht uitgebreid. Meer provincies en bergen, honderden vierkante kilometers. Meer mensen. Militairen. Agenten van de Guardia Civil. Vrijwilligers. Luciano Otero wist dat zoeken in de rest van de siërra geen zin had. Het vliegtuig lag op zijn berg, hoog op de flanken van De Dode Vrouw. De familieleden van de vermiste passagiers en bemanningsleden, gedreven door radeloosheid na twee dagen en nachten wachten op nieuws, wilden hem vergezellen, ook al wisten ze dat de tocht zwaar was en de afloop ongewis.

Donderdagavond had Luciano het nieuws in het kruitmagazijn van Retamares bij Madrid vernomen. Hij vervulde er zijn dienstplicht als telegrafist en hoorde de oproep vanaf Barajas, het vliegveld waar het toestel om 18.30 uur had moeten arriveren. Iedereen werd gevraagd uit te kijken naar Aviaco EC-ANR, om 16.40 uur opgestegen in Vigo, het hoge noordwesten van Spanje, met zestien passagiers en vijf bemanningsleden aan boord. De volgende ochtend belde Luciano naar huis. Ja, zei zijn broer, één man in het dorp had niet alleen een verre knal gehoord, maar zelfs een flits van een vuurbal gezien. Dicht bij de top van de Pico Pasapán. Hij dacht eerst aan een blikseminslag. De radio's in het dorp hadden die avond door het slechte weer niet gewerkt en pas zojuist hadden de inwoners van het gehucht Ortigosa del Monte het nieuws van het vermiste vliegtuig gehoord.

Luciano was naar zijn kapitein gegaan. Of hij een paar dagen met verlof mocht; hij moest naar huis om te helpen met zoeken. Hij kende De Dode Vrouw als geen ander. De kapitein keek hem fronsend aan. Een dode vrouw? Luciano legde het lachend uit. De zes bergtoppen heetten samen De Dode Vrouw. Als je op een heldere dag vanuit Segovia of de vallei naar haar keek, zag je haar liggen, haar hoofd op een kussen, de handen op haar borst gevouwen, haar knieën en voeten verstopt onder een lijkwade die in de zomer zwart leek en in de winter door de sneeuw helder oplichtte.

De kapitein dacht even na, de pret van de avond tevoren stond nog op zijn gezicht. Ze hadden in de kazerne tot laat het feest van Santa Bárbara gevierd, de beschermheilige van de artillerie, de maagd van de explosieven, de hoedster tegen brand en bliksem.

Ortigosa del Monte. Hoe ver was dat? 'Nog geen tachtig kilometer, twee uur met de trein,' zei Luciano. De kapitein knipoogde. 'Ik weet van niks. Als je dinsdag maar terug bent, soldaat.'

En nu, een dag later, drongen in het schemer van de vroege zaterdagochtend de vrouwen, moeders en zussen van de inzittenden van het vermiste vliegtuig rond hem samen. Voor rouw of troost was het de tijd nog niet, dat moment wilden ze uitstellen. Of nooit beleven. De mannen bleven op de achtergrond. Geen tranen bij hen, natuurlijk. Maar wel die wezenloze blik ook; het niets, het onbestemde, de vraag die ze Luciano in stilte stelden en waarop hij geen antwoord had.

Hij moest hun hoop geven, in plaats van de angst voeden. Maar welke hoop? Het was koud, te koud voor begin december. Te koud om daarboven twee, drie nachten in de openlucht te overleven. De berg werd al dagen gegeseld door een winterstorm. Maar als ze nou...? Een hut, een bunker, een grot, het vliegtuig zelf. Zo'n ruimte kon beschutting bieden, warmte. Hoop. Daarmee ging Luciano ook op pad. Hoop op een mirakel.

De vrouwen grepen hem bij de hand en onderarm, ze fluisterden of riepen hem iets toe, ieder een persoonlijke smeekbede om haar dierbare.

'Hij is een stevige man, meer dan één meter tachtig. En kaal. Misschien heeft hij zijn hoed op.'

'Hij was voetballer, weet u? Celta de Vigo. Hij is over de vijftig jaar.'

'De boordwerktuigkundige is mijn zoon. Enrique. Zijn gereedschap, misschien heeft dat hen kunnen helpen.'

'Ángels vrouw, mijn zus, is vanochtend bevallen van een baby. Laat hem snel naar beneden komen.'

'Pepe is zijn naam. De piloot, mijn man. Een oorlogsheld. Hij is vast ergens veilig geland.'

Een man kwam vanuit de achtergrond naar voren en probeerde boven de vrouwenstemmen uit te komen. 'Ze zijn nog zo klein,' zei hij, 'mijn dochters, negen en tien jaar, donker en blond. Esther en Josefa heten ze!'

'We zullen iedereen vinden,' beloofde Luciano. Hij trok zich voorzichtig los en besteeg zijn paard. 'Gaan we?' riep hij naar zijn broer Paco en de konijnenjager Eugenio Zorrilla. Paco had hem de middag tevoren van het treinstation afgehaald; hij kende de berg net zo goed als Luciano. Jarenlang hadden ze als kind hun vader vergezeld op zijn tochten naar het vee. De koeien en stieren konden vrij grazen op de flanken. Zij waren, samen met enkele schapen, de middelen van bestaan van het gezin. Het land was voor de mensen in het dorp, bij elkaar nog geen vijftig gezinnen, het fundament van het leven. Een zwaar leven, waarin ze zich moderne slaven voelden, harde werkers in feodale dienst van machtige grootgrondbezitters met vele hectares aan tarwe en gerst. De vader van Luciano en Paco was tenminste een vrij man, de koeien waren van hemzelf en de berg waar de beesten graasden was van iedereen.

Eugenio had op de flanken van De Dode Vrouw een klein stuk omheind land met een schuur vol konijnen. Hij jaagde niet alleen op konijnen, hij fokte ze ook. De vraag ernaar was groot, het was het goedkoopste vlees om te eten. Bij hun tochten naar boven gingen Luciano en Paco altijd even bij Eugenio langs. De man was een zonderling, kwam weinig de berg af, was één met zijn konijnen geworden, maar met de broers Otero had hij een goede band. Het was meer dan logisch dat hij hen vanochtend zou vergezellen.

Het was kwart voor acht en de agenten van de Guardia Civil die met de drie mannen de berg op zouden gaan waren nog niet gearriveerd. Langer wachten wilden Luciano, Paco en Eugenio niet. Het zou zo licht worden.

De broers Otero gingen te paard. Eugenio Zorrilla liep achter hen en zocht houvast aan de staart van een van de hengsten; zo glibberde hij voort. De sneeuw smolt langzaam weg, het pad was drijfnat. Na een klein uur kwamen ze bij de Rancho van La Becea meer mensen tegen. Officieren van het leger en de Guardia Civil en vertegenwoordigers van Aviaco, de luchtvaartmaatschappij, hadden met auto's over het brede pad uit Segovia een stuk van de berg beklommen en bij de paardenboerderij hadden ze een parkeerplaats geïmproviseerd. Het vliegtuig moest hier in de buurt zijn, dachten ook de autoriteiten nu. Ze wachtten op versterking van de manschappen die lopend naar boven moesten. De officieren hadden geen paarden bij zich en de auto's konden niet verder.

Luciano, Paco en Eugenio wilden door. Ze kregen een vuurpijl mee, voor als ze iets zouden vinden. Eugenio had een jachthoorn bij zich.

Nooit had Luciano Otero de berg met zo veel respect betreden als deze ochtend. Elke bocht in het pad, elke boom, elk beekje was hetzelfde, stond of lag op dezelfde plaats, maar het voelde anders. Nooit was hij bang geweest voor De Dode Vrouw, ook in de winter niet. Tot vijftienhonderd meter hoogte was ze nergens werkelijk gevaarlijk of bedrieglijk, ze kende weinig diepe afgronden die zich als een dodelijke val voor de onoplettenden openden. De paden waren breed, de bomen boden houvast, de stenen lagen al jarenlang stevig tegen elkaar aan geschurkt. Bovenop kon het wel guur zijn; op de hoogste toppen was nergens beschutting, dorpen en huizen waren ver weg, maar Luciano kon zich geen dode herinneren. Ja, in de Burgeroorlog, had zijn vader hem verteld, toen het front hier na enkele korte en bloedige veldslagen drie jaar lang intact was gebleven en de nationalen van Franco er niet in waren geslaagd de Sierra van Guadarrama vanuit het noorden over te steken om Madrid te bereiken en in te nemen.

Luciano had de bergen in zijn jeugd ontdekt, een speelplaats van honderden hectares. Na de oorlog werden de hellingen met rust gelaten, de bunkers verborgen zich als laatste sporen van de strijd tussen de struiken en het woekerende gras. Druk was het er nooit, want andere bergen waren populairder om te bewandelen. De dennenbossen zorgden voor koelte in de zomer, de jeugd uit het dorp vertoefde er graag om de voeten te baden in de kleine stroompjes die als aderen vol leven over de oppervlakte naar beneden trokken. Hoger, boven de boomgrens, snoof Luciano de vrijheid op en kon hij mijlenver over het door de graanvelden gekleurde gele land turen. De Dode Vrouw was een paradijs waarvan hij enkele geheime ingangen wist. Ze had hem als snotaap verleid en hij zou haar altijd trouw blijven.

Tienduizenden jaren geleden was ze er, volgens de overlevering, met de kracht van een aardschok gaan liggen, ineengezakt, overvallen door de plotselinge dood. Onbezonnen waren haar twee zonen geweest toen ze de erfenis van hun overleden vader hadden betwist: beiden wilden de nieuwe stamleider worden om de vruchtbare grond in de volmaakte vallei te mogen beheren en bewerken. Toen ze op het punt stonden elkaar in de broederstrijd in een afgesproken duel te doden, offerde hun moeder zich op om het dispuut te beëindigen. Ze bood haar lichaam en leven aan – niemand wist aan welke god of duivel – met het verzoek dat de broers elkaar accepteerden en de erfenis eerlijk verdeelden.

De volgende dag was zowel de stammoeder als de prachtige vallei verdwenen. In plaats van rivieren en groen grasland lag er een woeste bergketen van vooral steen en gruis, en toen de zonen naar boven keken zagen zij over meer dan tien kilometer lengte hun moeder liggen, het hoofd op een kussen, de kleine neus en onmiskenbare hoekige kin de lucht in gepriemd, haar handen gekruist over haar borst, haar knieën en voeten aan de kant waar de zon altijd het hoogst stond.

In de voorlaatste bocht voor de top van de Pasapán stopten Luciano, Paco en Eugenio. Hier begon de steile helling. Een stille zee van rotsblokken, opgefleurd met eilandjes van bremstruiken en jeneverbessen. Iets naar links, boven de bergwand van de Peña de Oso, verscheen langzaam de dag. De duisternis had plaatsgemaakt voor dichte mist, veroorzaakt door de wolken die de berg in een grillige dans omsingelden. Het zicht was hooguit tien meter. De mannen lieten de paarden staan en klommen op zo'n twintig meter van elkaar omhoog om geen stukje van het terrein te missen. Voortdurend riepen ze naar elkaar. 'Hier ben ik.' 'Oké.' 'Verder!' Alle notie van tijd was verdwenen. De willekeur van de wind dreef de wolken naar links en naar rechts, naar boven en beneden. Soms werden ze aan flarden gescheurd.

'Wacht!' Luciano's stem doorkliefde de stilte als een zoevende pijl de lucht. Hij zag door een vluchtige opklaring iets anders dan het grauwe van de mist.

'Daar! Geel, rood... Hebben jullie het gezien?'

Paco en Eugenio hadden het niet gezien. De mist had hen weer opgeslokt.

Het was op de helling aan de overkant, op zo'n tweehonderd, driehonderd meter afstand. Luciano wist het zeker. Ze moesten eerst deze helling af en aan de overkant weer naar boven. Op de Pasapán zelf. De knie van De Dode Vrouw. Daar moest het toestel liggen. Logisch ook eigenlijk. De noordwestelijke flank. De piloot had het net niet gered. Honderd meter hoger en hij was er overheen geweest.

Ze daalden, struikelden over de stenen, ze wilden rennen maar konden het niet. 'Paco, de vuurpijl?'

'Even wachten, tot we het zeker weten. Ik heb nog niets gezien.'

Ze staken een klein beekje over en klommen weer. Het was loodzwaar. Hun voeten gleden van de stenen af, de sneeuw in. Ze vielen voorover, opzij, probeerden elkaar te ondersteunen en weer vooruit te trekken.

'Waar dan, Luciano?' vroeg de konijnenjager.

Recht naar boven, hij wist het zeker.

En toen zagen ze het. Zon was er niet, maar het geel en rood lichtte op als een macaber ochtendgloren. Op een paar meter afstand maar. De geschilderde Spaanse vlag op het staartstuk van het toestel. In stukken. Paco struikelde over een lege stoel. Hij pakte de vuurpijl, stak hem af. Eugenio blies op zijn jachthoorn.

Luciano keek naar de grond, een meter voor hem lag een man in een pilotenuniform, zonder pet op. Hij miste het bovenste deel van zijn hoofd. Vaalwitte korsten van bevroren sneeuw hadden zich op zijn pak en in zijn gezicht genesteld. Luciano keek verder en zag het vliegtuig, of wat ervan over was. Rechts een tweede man, het lichaam leek intact. Zijn arm stak stijf de lucht in, een horloge om de pols. Na de eerste huivering voor de doden overwonnen te hebben, naderde Luciano tot enkele centimeters en keek naar de wijzerplaat achter het gebroken glas. Tien voor half zeven.

'Hallo?! Iemand daar?'

Hij hoorde iets ritselen, nog verder naar rechts. Dicht bij het staartstuk, iets naar beneden. Hij strompelde een paar meter verder. Een paraplu, halfgeopend en gescheurd. De wind speelde ermee, maar een hand met een sjiek blauw handschoentje voorkwam dat de paraplu werd meegezogen, de berg op en de hemel in. Ernaast lag een rondvormig hoedje. Het wiegde op de grens van sneeuw en steen.

Een stewardess. Ze zat op een wat grotere rots. Ze had een lichtblauw pakje aan, dezelfde kleur als haar handschoen en het hoedje, een rok tot op haar knieën. De kous aan haar rechter onderbeen was gescheurd. Geen schoen aan de ene voet, de andere verdween vanaf de enkel in de sneeuw. Geen dikke jas. Luciano stond schuin achter haar. Ze leek jong. Ze keek, net zoals hij altijd had gedaan, het verre dal in, ook al belemmerde de mist het zicht.

'Mevrouw?'

Hij stapte behoedzaam over de rotsen, bevreesd haar te laten schrikken.

'Mevrouw?'

Hij stak zijn rechterhand uit. Teder pakte hij de stewardess bij haar frêle, met ragfijne rijp bedekte schouder. Ze draaide zich niet om. Hij strompelde nog twee stappen vooruit om haar in het gezicht te kunnen kijken.

Ze glimlachte.

HOOFDSTUK 1

Mama wilde niet dat ik stewardess zou worden en vandaag moet ik haar een beetje gelijk geven. Het is de eerste dag sinds ik hier werk dat ik vliegen niet leuk vind. Het gaat wel over, straks, maar zulk slecht weer heb ik nog nooit meegemaakt.

We mogen vandaag blij zijn met Calvo als piloot. De passagiers die vaker hebben gereisd wisten dat vooraf al. Commandant Pepe Calvo is de beste van allemaal bij Aviaco. De meest ervaren. Een oorlogsheld, zo heb ik pas enkele uren geleden gehoord. Ik zie hem niet echt als een held, na het horen van zijn geschiedenis, maar dat ga ik natuurlijk niet zeggen. Als vliegenier bewonder ik hem. Zijn rust, zijn duidelijke orders, zijn iets afstandelijke vriendelijkheid, maar vooral zijn kunde. Er is geen piloot met zo veel vlieguren, maar volgens mij heeft hij die vooral in militaire toestellen bijeen gesprokkeld. Eerst in de oorlog hier in Spanje, voor het leger van Franco. Dat heeft Enrique, de boordwerktuigkundige, me verteld. De blauwe patrouille van García-Morato.

'Ken je die niet?' vroeg Enrique me. 'De aas van het luchtruim, noemden ze García-Morato. Niemand haalde zo veel vijanden neer als hij. De republikeinen verloren hun overwicht in de lucht door García-Morato's mannen met hun Duitse en Italiaanse straaljagers. Calvo was er een van.'

Enrique Anuncibay is een Bask, maar hij praat met bewondering over Calvo. Ik ga hem niet vragen of hij ook tot de Franco-getrouwen behoort. Heb je die Catalaanse weer, zullen ze dan zeggen. Ik ga niet moeilijk doen sinds ik de belangrijkste horde heb genomen, een aanstelling als stewardess. Tenslotte zijn het allemaal militairen, de piloten, de copiloten, de technici. Ze zijn door de regering, of door het ministerie van Defensie, bij de luchtvaartmaatschappijen geplaatst. Bij Aviaco, maar ook bij Iberia.

Enrique vervolgde enthousiast zijn verhaal. 'García-Morato overleefde alle grote oorlogsgevechten, maar weet je hoe hij aan zijn einde kwam? Bij een vliegshow, vlak onder Madrid, nog geen twee maanden na de oorlog... Hoe bedenk je het. Z'n toestel stortte neer zonder ook maar een vijand in de buurt. Zesendertig jaar was hij. Vijfhonderd oorlogsmissies overleefd...'

Ik heb er eerlijk gezegd niet zo'n moeite mee, met die verhalen. Ik heb de oorlog niet meegemaakt, al scheelde het niet veel. In februari 1940 werd ik geboren, een jaar nadat ook Barcelona was gevallen en Franco gewonnen had. Alsof mama en papa het direct na drie jaar oorlog en onzekerheid tijd vonden een kind te krijgen.

Ondanks de zege van de nationalen, de ellende, de schaarste, de represailles, de armoede overal. Mama was bijna dertig; veel langer wachten wilden ze niet, want ze wilde na mij nog meer kinderen. Ze moest opschieten. En ze was niet de enige. De straten raakten vol met kinderwagentjes.

Iedereen kreeg plots kinderen, zei ze me later, toen ik op school in een overvolle klas zat.

De piloten zijn mijn collega's, en de meesten zijn gewoon aardig. Nooit vraag ik of ze in de oorlog bommen hebben geworpen of andere vliegtuigen hebben neergehaald. Op school werden hun heldendaden geprezen. Papa vertelde me het andere verhaal en natuurlijk geloof ik hem. In de laatste maand van de oorlog werd ook onze flat door de projectielen getroffen. Op het dak zijn de sporen nog te zien, en de bovenverdieping heeft scheuren. De flat is kort voor de oorlog gebouwd, maar ziet er nu al uit als een gekweld lichaam. Papa en mama zullen het gebrom van de zware Duitse bommenwerpers nooit vergeten; die kwamen, net als de Italianen, van over zee Franco helpen. De schuilkelder was hun tweede huis die jaren.

Papa heeft geen familie verloren in de oorlog, mama een oom in de buurt van Sevilla. Hij werd opgepakt door de Guardia Civil en is nooit teruggevonden. De familie denkt dat hij ergens aan de kant van de weg onder de berm ligt begraven, zonder rechtszaak gefusilleerd omdat hij een 'rode' onderwijzer was. Mama kende hem nauwelijks. Papa is vooral boos dat 'de anderen' gewonnen hebben. Zo noemt hij ze altijd. Mama bekijkt het leven iets vrolijker. Meneer Guarro, haar baas, moest naar Frankrijk vluchten maar heeft haar gezegd dat de Catalanen nooit verslagen kunnen worden, ook al heeft Franco gewonnen. Dat er eens een nieuw tijdperk zal aanbreken en dat we ons daarop moeten voorbereiden. Dat we allemaal moeten meehelpen. Meneer Guarro gaf het goede voorbeeld in zijn eigen fabriek. De arbeiders mogen er Catalaans praten, terwijl dat overal verboden is; op straat, op school, in de cafés... Jammer dat hijzelf dat nieuwe tijdperk niet meer zal meemaken, hij is acht jaar geleden overleden. Maar zijn zoon Wenceslao zet het levenswerk voort. Wenceslao, ja dan ben je een rooie, met zo'n naam, dacht ik altijd. Maar volgens mama is hij gewoon naar zijn opa genoemd, heeft het niets met het communisme te maken. Of misschien toch wel...

Ik weet het niet, ik heb me er nooit zo mee beziggehouden. Met politiek niet, met de oorlog niet. Op school ging alles in het Spaans, thuis spreekt papa alleen met mij Catalaans. Met mama en de rest van de familie doet hij het in het Spaans.

Ik denk dat je de oorlog zelf moet meemaken om er boos over te kunnen worden. En zo'n trauma zal papa toch ook niet hebben; hij heeft na de val van Barcelona direct het werk weer opgepakt en na de loodzware naoorlogse jaren ging het hem na een tijd toch redelijk goed. Met zijn werk, maar ook met zijn herinneringen, zijn woede, zijn frustratie om de nederlaag. Veel spraken we er thuis niet over, alsof papa en mama snel met het leven van voor de oorlog verder wilden.

Luitenant-kolonel Pepe Calvo Nogales had vandaag eigenlijk een vrije dag. Maar onze piloot is vanochtend in Madrid niet komen opdagen. Geen idee waarom, ze konden hem niet vinden. Calvo is de baas van alle piloten van Aviaco, dus besloot hij zelf maar in te vallen.

'De hond vliegt ons,' had José Nicolás, onze copiloot, opgewonden tegen Enrique gezegd.

'De hond? Jezus... Waarom juist hij? Vliegt hij nog?' vroeg Enrique.

Ik begreep er niets van. 'De hond?'

'Dat is zijn bijnaam,' vertelde Enrique. 'Bijna niemand kent hem als Pepe Calvo, hij is altijd "de hond" geweest, sinds de militaire academie.'

'Hoe komt hij aan die naam?' vroeg ik.

Enrique keek José Nicolás aan. 'Weet jij het?'

'Nee, ik kom pas net kijken.'

'Weinig mensen weten dat precies, ik ook niet. Iemand op de militaire academie begon ermee, ze zochten voor elke rekruut een bijnaam. In de oorlog werden dat soms mythische geuzennamen. Iedere piloot had er een; de valk, de merel, de kleine, de snor, de lynx.'

'Maar de hond?' drong ik aan.

'Dat is toch niet negatief?' zei Enrique. 'Het kan betekenen dat hij altijd heel erg trouw is geweest. Of dat hij zich ergens in vastbijt en niet meer loslaat. Ik weet het niet, maar iedereen heeft het altijd met bewondering uitgesproken. Want Calvo is een van onze grootsten.'

En toen kreeg ik een spoedcursus van Enrique over onze commandant van vandaag, luitenant-kolonel en vader van vijf kinderen. In de Tweede Wereldoorlog was Calvo voor de Duitsers gaan vliegen als vrijwilliger. Franco of Hitler, één pot nat. Spanje was neutraal en mengde zich officieel niet in de strijd, maar Franco wilde Hitler met de Blauwe Divisie zijn dankbaarheid tonen voor diens hulp in de strijd tegen de republikeinen. Tienduizenden Spaanse vrijwilligers trokken naar het oostfront. Calvo heeft er niet gevochten, zei Enrique. Hij bestuurde voor de Luftwaffe een transportvliegtuig en vloog met die Junkers Ju52 de verschillende verbindingsroutes. Eerst van Berlijn naar de basis van de Blauwe Divisie in Polen, en daarvandaan naar het front bij Leningrad. De groep Spaanse piloten noemde zich het Blauwe Squadron en droeg de kleur en het embleem van de patrouille van García-Morato.

Ik ken commandant Calvo niet, weet niet wat ik van hem moet denken. De hond, dat krijg ik niet uit mijn mond. Hij is mijn baas, vandaag. Of altijd eigenlijk, hij is de grote baas. Hij begroette me vanochtend kort.

'Ben je er klaar voor, Maribel?' vroeg hij mij.

'Ja, commandant. Zoals altijd.'

'Mooi zo.'

Ik wist niet wat komen ging, hij wel. Ik dacht iets van boosheid in zijn blik te zien.

Toen ik thuis zei dat ik stewardess wilde worden kende ik het verhaal van Pepe Calvo natuurlijk nog niet, maar papa moest gelijk weer aan de oorlog denken. Gelukkig was het Aviaco, zei hij, dat was geen staatsbedrijf als Iberia. Maar de overheid helpt Aviaco wel aan piloten. Veel van hen hoeven niet meer in oorlogen te worden ingezet, alleen in Marokko onlangs. De rest moet toch aan het werk blijven, dus komen ze in de burgerluchtvaart terecht. Papa heeft me weleens gevraagd of er piloten zijn die Barcelona hebben gebombardeerd. Ik weet het niet. Ik ga het niet vragen. Wat zou ik met die kennis kunnen doen? En papa zal het ook niet helpen. Zijn dochter die voor de vijand werkt, of zoiets. Dat heeft hij me nooit gezegd, hoor, maar soms hoor ik het hem denken. Hij vertrouwt het niet. Maar hij weet ook dat dit mijn droom is, mijn werk, mijn toekomst. In de toekomst zullen bij Aviaco toch niet uitsluitend militairen de cockpit bemannen. Of bij Iberia. Daar zou ik graag terechtkomen. Die hebben meer vluchten naar het buitenland, zelfs naar Buenos Aires. Bij Aviaco vliegen we vooral naar het noorden van Spanje, waar het vaak slecht weer is. We hebben ook een route naar Brussel en Amsterdam, die zou ik graag eens doen, maar daarvoor moet ik meer ervaring hebben.

Mama vindt het niet leuk om andere redenen. Ze heeft nog nooit gevlogen, het lijkt haar niets. 'Je bent m'n enige kind,' zei ze, 'waarom nu juist dit?' Ik had het in de krant zien staan, een examen om als stewardess te worden aangenomen. Je had geen opleiding nodig, als je de middelbare school maar had afgemaakt. Ik spreek Frans en Engels; dat was een voordeel, dacht ik. De selectie was in Madrid. Mama dacht en hoopte misschien wel dat ik het niet zou redden tussen al die andere meiden. 'Je bent voor hen toch een Catalaanse, met je lichte accent...' Maar daar letten ze helemaal niet op. In Madrid bleek dat ze vier belangrijke eisen stelden: jong, elegant, sympathiek en minstens één vreemde taal.

Mama zweeg toen ik vertelde dat ik was aangenomen, ze ging door met de afwas. Het was net voor de feestavond van Sant Joan, op 23 juni. Even keek ze op. Wat jammer, klaagde ze, dat ik dan niet thuis zou zijn, voor het eerst zouden ze het zonder mij moeten vieren. Maar ze was vooral bang voor iets anders, iets veel groters dan een feestavond. In april was een vliegtuig bij Barcelona uit de lucht gevallen, in zee bij Castelldefels. Van Aviaco, de verbinding Oviedo-Bilbao-Zaragoza-Barcelona. Zestien doden. Iedereen die aan boord was. Of ik gek was om zoiets te gaan doen, had ze me gezegd toen ik mijn sollicitatie opstuurde. Ik zei nog dat er geen stewardess in dat vliegtuig was, maar dat hielp niet. 'En een jaar eerder dan?' vroeg ze, zonder een antwoord te verwachten. 'Ook eentje van Aviaco, bijna veertig doden bij Madrid. Mét een stewardess.'

Voor mama was het een drama dat ik dit beroep koos, maar ze was lief genoeg om het me niet te verbieden. 'Wie ben ik om je droom te vernietigen,' zei ze. Maar ze bleef het proberen. Ze had een vriendin die op het vliegveld werkte; Aviaco had er niet zo'n goede naam. Er was een gezegde onder het personeel: 'Als je deze wereld wilt zien, vlieg Iberia; wil je de andere wereld ontdekken, reis dan met Aviaco.' Ik luisterde niet, ik wilde het niet horen.

Vandaag heb ik er even aan gedacht. Maar dit is de schuld van de meteorologie, niet van Aviaco. En alsof Iberia geen ongelukken heeft. Eind vorig jaar nog, een DC-3 met eenentwintig doden bij Madrid.

Het slechte weer is verraderlijk, alsof de hemel ons als een vervelende, zoemende vlieg van zich af wil slaan. Ik ben commandant Calvo dankbaar: twee keer heeft hij ons vandaag midden in die wervelende windstoten heelhuids aan de grond gezet. Op onze ochtendvlucht van Madrid naar Vigo moesten we door het slechte weer uitwijken naar Santiago de Compostella, tien minuten verderop. Na een paar uur konden we daar opstijgen om in Vigo de passagiers op te pikken voor de terugvlucht naar Madrid. De vijfentwintig mensen die met ons vanuit Madrid waren gekomen gingen in Santiago niet meer aan boord. Ze hadden geen zin te wachten en waren al dicht bij hun reisdoel. Liever niet meer vliegen.

Gelijk hadden ze. De landing in Vigo was nog angstaanjagender dan in Santiago. De wind die via de inhammen bij zee het land binnenviel zwiepte ons alle kanten op; ik durfde niet naar buiten te kijken. Dat is me nog nooit overkomen. Het toestel landde eerst op het linkerwiel en het leek alsof we door de storm zouden kantelen; toen kwam het weer in evenwicht en klapte het rechterwiel op de grond. Dat moet wel gebroken zijn, dacht ik, maar het had de vrije val doorstaan. In de cockpit applaudisseerden de drie mannen voor Pepe Calvo. Ik was op de voorste rij stoelen gaan zitten, op aanraden van de commandant.

'Ik ga je niet in een afgebroken staartstuk achterlaten, Maribel. Als we sterven doen we dat allemaal samen,' had hij gegrapt.

HOOFDSTUK 2

Vandaag is het vrijdag en is er linzensoep. In de winter dan. Zodra het warmer wordt komt er gazpacho voor in de plaats. Damp stijgt op van het diepe bord. Ana Bernal kijkt naar buiten en wacht tot de soep iets afkoelt. Straks is er kabeljauw met knoflook. Zoals altijd op vrijdag.

De platanen hebben al hun blad aan de straatstenen geschonken. De uitlaten van de auto's blazen rook als winterse wasem de lucht in. Een man op een motor slaat zijn handen warm boven het stuur terwijl hij op groen licht wacht. Over de stoep komt een jonge vrouw in uniform aanlopen. Het is een vreemd gezicht. Ze is streng en mooi tegelijk. Ze lijkt een hostess. De vrouw kijkt Ana van onder haar wollen muts heel even aan en is weer weg. Een meisje in uniform. De onschuld verhuld in een vormelijke verpakking. Ook bij Maribel had Ana er in die korte tijd niet aan kunnen wennen. Net achttien, en zo serieus leek haar dochter. Het was toch anders dan het schooluniform met de ruitjesrok, turquoise blouse en donkerblauwe trui. Daarin was ze speels, het jonge pubermeisje. Ze huppelde de zebrapaden over, draaide op de straathoek rondjes als een ballerina en maakte sprongetjes over denkbeeldige plassen aan de stoeprand. Bij Aviaco werd haar jeugd verborgen door de blauwe rok tot net over de knieën, samen met het zwarte leren tasje en de schoenen met halfhoge hakken. Haar toch al kleine borsten zaten weggedrukt achter de vier knopen van het jasje, dat in ieder geval wel haar slanke taille accentueerde. Het haar hield ze gelukkig niet gevangen in een knot of een staart en vormde een glanzende combinatie met het ronde hoedje dat schuin naar achteren stond. Ze was prachtig als stewardess, dat wel. Maar ze leek tien jaar ouder.

Op maandag bestelt Ana als voorgerecht vissoep, getrokken van de zeeduivel, garnalen en mosselen die op zaterdag overschoten, maar dat weet iedereen. Op maandag is er geen verse vis uit de haven; de vissersbootjes zijn nog niet terug van zee. Als hoofdgerecht op maandag heeft ze het liefst worst met witte bonen.

Op dinsdag een groene salade en daarna inktvisjes van de grill met knoflook en peterselie. Op woensdag de *fideuá* die Ángeles zo heerlijk bereidt, met haar huisgemaakte aioli, en groenten van de houtskoolgrill. Donderdag alleen paella. Het is het voorgerecht, maar ze heeft er genoeg aan. Ana eet nooit zo veel. Soms schept Antonio iets meer rijst voor haar op; hij werkt altijd op donderdag.

Morgen is het menu iets duurder. Dan wisselt ze

weleens van gerecht. Zondag is het restaurant dicht.

Nu is het vrijdag. Iedereen noemt haar señora Ana. Ze is klein, amper één meter zestig. En met de leeftijd is ze ook nog gekrompen, of gewoon krommer gaan lopen. Ze probeert voorzichtig een lepel van de soep. Nou ja, soep... Het zijn vooral linzen en maar weinig vocht. Een stuk chorizo. De hele teen knoflook heeft ze opzijgeschoven; die zat erin voor de smaak, net als het laurierblad. Buiten lopen de voorbijgangers in dikke jassen; ze haasten zich naar het middagmaal, thuis of in de bar. Elke keer als de deur opengaat glipt er een stroom koude lucht naar binnen. Daarom zit Ana ver van de ingang. Het laatste tafeltje in de hoek, aan het raam. Germán, de eigenaar, houdt die voor haar vrij maar dat is niet echt nodig. Ze is bijna altijd de eerste, voordat om twee uur de kantoren aan de middagpauze beginnen en hun werknemers urenlang de straat op gaan. Van achter haar formicatafeltje kan ze alles en iedereen zien. Binnen en buiten. Ook het televisiescherm. Ze ziet alle middagjournaals, eerst in het Catalaans, daarna in het Spaans. Een herhaling van ellende. Het hoort erbij. Vandaag valt het wel mee. Alleen wat ondraaglijke beelden van dode gevangenen in Tsjetsjenië wier lichamen aan een touw achter militaire wagens aan worden gesleept. Tsjetsjenië, ze had er tot voor kort nooit van gehoord. Bloed en dood aan de dis, het is altijd zo geweest. Ze heeft er nooit een stukje worst minder om gegeten. Verder is er vandaag, of gisteren, niet veel gebeurd.

Gelukkig was vroeger alles niet zo uitgebreid op

televisie. Dan had ze ongetwijfeld dagenlang de beelden van het vliegtuig moeten terugzien. En misschien wel meer dingen, macabere details. De kranten gingen er wel diep op in, elke dag weer. Pagina's lang, zonder foto's, althans in het begin, toen er nog geen spoor was. Ze had alles uitgeknipt en bewaard. Waarom, dat wist ze toen niet. Nu wel. Meer dan veertig jaar zijn ze al een relikwie, een anker in het verleden dat nooit meer zal losraken. Foto's van de berg, van het vliegtuig, de reddingswerkers. Vage beelden in de mist en de sneeuw. Respectvol, gelukkig. Ze kan ze zonder extra pijn terugzien. Zelf stonden de meeste families ook foto's af toen de verslaggevers erom vroegen, als een eerbetoon. De namen een gezicht geven.

Van de overkant komen groepjes jongeren van de filmschool het zebrapad over. Ze zullen wel naar de metro gaan, of nemen de bus naar huis. Eten doen ze hier niet. Sommigen komen straks voor de koffie. Ze zijn doorgaans vrolijk; jongens en meiden vermaken zich, ze zijn rond de twintig jaar. Soms ziet Ana op het terras, in het voorjaar vooral, stelletjes ontstaan. Lange, innige zoenen die haar achter het glas doen blozen. Dan wendt ze snel haar blik af. Ook pittige ruzies, trouwens. Meisjes die boos wegbenen, hun studiemap vergeten en dan weer moeten terugkomen, en met geperste lippen een vernietigende blik werpen in de richting van de knul, die schaapachtig naar zijn vrienden kijkt en zijn schouders ophaalt. Ze kan nooit horen wat ze zeggen, want de ramen van het restaurant kunnen niet open, maar de taal van de liefde is ook zonder geluid goed verstaanbaar. In de winter blijft het terras uitgestald, maar dan is het niet zo druk. De zon is vroeg weg op deze straathoek.

Ze had graag om de hoek gewoond. Of aan de overkant. Nu is haar woonkamer op het noorden, wat in de zomer wel een voordeel is. Maar als ze in de koude maanden de zon het monumentale gebouw aan de andere kant ziet beschijnen is ze een beetje jaloers en vraagt ze Mercedes de kachel extra op te stoken. Gelukkig is Mercedes er. Al twintig jaar bijna. Ze heeft moeder nog gekend, en Josep María natuurlijk, Ana's echtgenoot. Zonder de huishoudster zou Ana het hier niet meer redden en zou ze een prooi voor het bejaardenhuis zijn. Daar moet ze niet aan denken. Mercedes maakt schoon, kookt af en toe en vergezelt haar op straat. De trap op en af, Ana heeft er moeite mee. Maar Mercedes is veel meer dan een extra trapleuning. Mercedes is haar buffer tegen de eenzaamheid. Ze bespreken alles met elkaar. Zoals de details van het pand aan de overkant, elke versiering onder elk balkon, elke vertakking van de als marmeren bomen gecamoufleerde pilaren. Urenlang heeft Ana Bernal het pand bestudeerd, zich afgevraagd wie er wonen, van wie het pand nu is. Toen ze met Josep María hier kwam wonen hoorde ze van de overburen door wie het pand was gebouwd: een rijke familie, aan het begin van de eeuw, toen in heel Barcelona architecten voor de bourgeoisie grote huizen in de modernismestijl ontwierpen. Het gebouw van vijf verdiepingen was voor een van de zonen bedoeld en kreeg ook zijn naam. Maar in plaats van de rijkdom koos hij voor de kerk en werd hij jezuïet, waarbij hij de gelofte deed af te zien van persoonlijke bezittingen. Hij heeft er zelf nooit gewoond.

Ana Bernal is verder wel tevreden met haar flat. Eigenlijk te groot voor haar alleen. Van de vijf kamers gebruikt zij er maar twee, aan de voorkant. En de keuken, natuurlijk, maar niet zo vaak. Sinds Josep María er niet meer is eet ze 's middags in het restaurant.

HOOFDSTUK 3

De deurbel schalde door de gang, het was wel erg vroeg voor bezoek. 'Carmen, doe jij even open?'

'Maar ik moet naar school, mama.'

'En ik naar het werk. Ik ben bovendien je broodje aan het maken. Misschien is het een vriendinnetje van je.'

De bel klonk nogmaals, te luid voor de stilte van de nog halfduistere ochtend. Veel te fel voor Emilia's zenuwen.

'Carmen!'

'Ik ben er al!' Carmen zat in het eerste jaar van haar nieuwe middelbare school. Ondanks haar problemen met opstaan wilde ze niet te laat komen. Het eerste uur had ze een examen voor het kerstrapport. 'Het is de postbode.'

'Vraag wat-ie wil...'

'Hij heeft een telegram.'

'Ik kom al.' Emilia Gesteira was kribbig. De haast en de zenuwen hadden haar al de hele ochtend beet. 'Goedemorgen, Paco.' Natuurlijk kende ze de postbode, een collega van Rafael, haar man.

Ze tekende voor ontvangst en maakte het telegram open.

'Wat is het, mama, wat is het?' Carmen had haar schooltas al in de hand en wilde achter de postbode aan de trap af, maar eerst móést ze het weten.

'Van opa. Alles in orde. De vlucht is eergisteren bevestigd. Vanmiddag zijn je zusjes hier. En nu naar school.'

Dat klonk heel koel. Emilia was het niet. Het vluchtige papier van het telegram trilde in haar handen. Maandenlang had ze het voorbereid en naar deze dag uitgezien. Vorige week had ze voor het laatst over de telefoon met haar schoonvader kunnen spreken. Veel hadden de meisjes niet om mee te nemen, had hij gezegd. Elk een koffertje hooguit. Hun poppen. Ander speelgoed hadden ze niet. Kleding, een paar extra schoenen.

Het was goed zo, Emilia hoefde zich nergens mee te bemoeien; dat had ze de afgelopen jaren toch al niet kunnen doen. Ze kon slechts wachten. Uren die zo lang als dagen zouden duren. Ze ging werken, thuiszitten had geen zin. De reis kon minstens een halve dag in beslag nemen. Rafael was vandaag een uur vroeger aan zijn postronde begonnen en zou hen van het vliegveld ophalen.

'Mama, ik kan niet wachten!' Carmen was misschien nog nerveuzer. Ze vroeg elke dag tien keer hoe laat Josefa en Esther zouden aankomen. Maar de tijd was moeilijk te voorspellen. Halverwege de middag, als alles goed ging.

'Eerst je examen, schiet op! Tot straks, lieverd.' Ze gaf haar oudste dochter een terloopse kus op het voorhoofd.

Emilia had vannacht bijna niet geslapen, en was al uitgeput voordat de lange dag nog moest beginnen. De korte wandeling naar de bakker en terug had haar geest slechts deels opgefrist. Het haar droeg ze in een knot. Ze was klein, maar had stevige handen. Ze had haar keukenschort nog om.

De haast was dezelfde als elke ochtend, en zou straks vervliegen in de ochtendkou, als Emilia eenmaal op weg was naar haar werk bij de Zwitserse nonnen. Opstaan, brood halen, het ontbijt bereiden voor Rafael, de kinderen wakker maken, de afscheidskus voor Rafael, ontbijt voor Carmen en Teresa, de kleinste aankleden, Carmen aansporen opdat ze toch niet te laat kwam...

Carmen was al een dametje. Twaalf jaar. Bijna de helft van haar leven in Madrid. Ze was al lang niet meer het bedeesde meisje uit Pontevedra. Hier in de stad was het leven harder, sneller, minder sprookjesachtig. Zouden haar zusjes veel van haar verschillen?

Emilia Gesteira en Rafael Castillo hadden besloten dat Josefa en Esther met het vliegtuig zouden komen. Het gespaarde geld was er net toereikend voor. Omdat ze zo jong waren mochten ze voor de helft van de prijs mee. Twee meisjes voor de prijs van een volwassene. En het was maar een enkele reis, dat scheelde ook. Met een auto of met de bus vanuit Galicië was een te lange reis, en te gevaarlijk; het was zevenhonderd kilometer over smalle en hobbelige wegen door het oneindige land, ze zouden er een lange dag over doen. Tweeduizend mensen per jaar reden zich dood, had Emilia in de krant gelezen. En met de trein zou opa ook moeten meereizen, dat kon hij niet aan. Plus een even lange terugreis, in zijn eentje.

Bij Aviaco hadden ze gezegd dat de meiden zonder probleem alleen konden reizen. De stewardess zou voor hen zorgen alsof het haar eigen kinderen waren, van de wachtruimte in Vigo tot de aankomsthal op Barajas. Als er maar iemand van de familie klaarstond om hen op te halen.

Emilia maakte Teresa voorzichtig wakker; ze had zelfs door de deurbel heen geslapen. De kleinste besefte nog niet goed wat er ging gebeuren. Zusjes, ja, ze had de foto's gezien. Ze had vaak over Josefa en Esther horen praten, de laatste weken veel meer dan ooit, maar ze had hun stemmen nooit gehoord. Wat betekenen zusjes als je ze niet kent? Voor Teresa was Carmen haar enige zus, al was zij eigenlijk meer haar jonge moeder.

Gelukkig zouden de vier meiden vandaag worden herenigd, zou hun gezamenlijke jeugd zich vanaf nu hier afspelen. In de nieuwe wijk zou het hun aan niets ontbreken. Drie scholen, wat winkels en barretjes, een kapper, een kolenhandel, een danszaal, binnenkort zelfs een bioscoop. Eén winkel en een bar hadden telefoon, waarvan je tegen betaling kon gebruikmaken. Madrid was dichtbij en tegelijk ver weg, net als de herinnering aan die ene benauwde kamer in de Béjarstraat, waar ze te lang hadden moeten wonen. Hier hadden ze, eindelijk, hun eigen ruimte gekregen. Alsof ze een loterij hadden gewonnen. En eigenlijk was dat ook zo. Meer dan duizend kandidaten hadden zich gemeld voor 258 betaalbare huurflats, allemaal werknemers van de posterijen.

Misschien dat ze uitverkoren waren vanwege hun hachelijke woonsituatie, hoewel velen in Madrid kleinbehuisd waren, in precaire achterkamers of souterrains zonder licht. Woningen waren schaars, want onbetaalbaar, zeker voor arbeidersgezinnen.

Of was het in hun voordeel geweest dat zij uit de provincie kwamen? Ook daarin waren ze niet uniek. Duizenden arbeiders kwamen net als zij uit Galicië, uit het verre noordwesten. En uit het zuiden, nog verder weg. De buren waren uit Huelva gekomen. Allemaal vluchtelingen van de armoede, weg van hun kaalgeslagen geboortegrond die nauwelijks werk en voedsel bood. De stad was een magneet waar misschien ook misère en ontberingen wachtten, maar met de hoop op een betere toekomst. Een waardig leven voor de kinderen, dat was toch het minste wat ze konden verwachten.

Of hadden ze een extra grote kans op een nieuw huis gehad omdat na de geboorte van Teresa de ene kamer met z'n vieren nóg veel krapper was geworden? Een huilende baby zonder wieg en een schoolgaande puber die een piepklein tafeltje had om haar huiswerk te doen en waaraan het gezin ook moest eten. Nou en?

Steeds meer mensen durfden weer kinderen te krijgen, het ergste in Spanje leek voorbij. Iedereen met nieuw kroost kwam op de flats af, ook dat gaf hun geen voorrang op de rest.

Alle duizend kandidaten hadden waarschijnlijk dezelfde kans op een woning in de wijk. Emilia en Rafael hadden gewoon toevallig een winnend lot. Met als prijs een paradijs, Colonia Margarita. 'De kolonie van de postbodes' noemden de mensen in Madrid het, gebouwd op het landgoed van een non aan de oostkant van de stad, niet zo heel ver van de Béjarstraat waar ze tot de zomer hadden gewoond. De drie kamers in de nieuwe flat waren een overweldigende luxe. Allemaal aan de straatkant, ramen waardoor het licht binnenviel, niet het vergeelde zicht van anderhalve meter op de muffe luchtkoker van de laatste vijf jaar. Een eigen douche. Ze kochten op aanbetaling een eigen koelkast en een fornuis van kolen. Carmen kon niet geloven dat ze een eigen kamer had. Dat ze die vanaf vanavond weer zou moeten delen deerde haar niet. Dit was waar ook zij op had gewacht. Met haar twee zusjes op de kamer – het maakte haar alleen maar vrolijker. Toch anders dan bij je ouders in de kamer of zelfs in bed moeten slapen. Ze had geholpen het stapelbed neer te zetten en wilde er zelf de poppen in leggen.

Hoe zouden Josefa en Esther het straks beleven? Wat zouden ze van hun moeder denken, die hen bij haar schoonouders had achtergelaten? Een slechte moeder? Of waren ze met tien en negen jaar nog te jong voor zulke oordelen? Waren ze boos, verdrietig?

Of alleen maar blij, nu ze weer met z'n allen bij elkaar zouden zijn?

Voor Emilia en Rafael was het een onophoudelijke marteling geweest; alleen door zichzelf daarmee te pijnigen konden ze de loodzware last van het gemis dragen. Rafael's ouders stuurden elk halfjaar een nieuwe foto van de meiden, die in een zilverkleurig lijstje in de eet- en woonkamer pronkte. De zusjes groeiden en keken hun ouders voortdurend vanuit het wandmeubel aan.

HOOFDSTUK 4

Ik loop de wachtruimte van het vliegveld Peinador van Vigo binnen, waar de striemen regen als zweepslagen tegen de hoge ramen kletteren. De passagiers zitten al urenlang te wachten; we hadden om twaalf uur moeten vertrekken. Het is nu half drie en buiten is het donker, alsof de avond al is ingevallen. Zodra ze mij zien stopt het geroezemoes. Enkele mensen staan op, eentje ken ik van gezicht. Ik denk dat hij ook uit Barcelona komt, een jonge man, net in de twintig, schat ik. Hij loopt op me af.

'Ángel. Ángel Murcia, weet je nog? Laatst, van Madrid naar Barcelona.'

'O ja, de handelsreiziger...'

'Ja, precies, ik wilde geen psychiater worden, zoals mijn oudste broer...'

'Dat was het, ja. Welkom weer.'

'Wanneer vertrekken we?' vraagt hij. Ik heb nog geen antwoord.

Ook andere passagiers komen zich melden. 'Alstublieft,' zeg ik, 'gaat u allemaal weer zitten. Ik kom zo bij elk van u langs en dan kan ik vermoedelijk ook meer zeggen over het tijdstip van vertrek. Alstublieft.'

Gehoorzaam lopen ze weer terug naar hun stoel. Ondanks mijn jonge leeftijd doen ze wat ik zeg, de uitrusting van stewardess helpt me daarbij. Voor de meesten is het een droombaan. Voor de vrouwen, natuurlijk, maar ook de mannen zijn vol bewondering. Het is iets unieks, dit beroep. Negenennegentig procent van de Spanjaarden heeft nog nooit gevlogen. We zijn maar met enkele tientallen stewardessen in het hele land. Mensen zijn wel verrast wanneer ze mij zien, zo jong... Al lijk ik in het uniform een stuk ouder. We hebben iets onbereikbaars, heeft een van de meer ervaren stewardessen me eens gezegd. Vrouwen die elke dag vliegen, de vrijheid opzoeken. We ontstijgen het beeld dat de meesten van vrouwen hebben. Vrouwen hebben het zwaar, deze jaren, en dat is hun vaak aan te zien. Op straat zie je grijze gezichten en hangende schouders, en niet alleen bij oudere vrouwen. Wij lachen altijd. Omdat het bij ons werk hoort, maar vooral omdat het vanzelf gaat, omdat we ons gelukkig voelen. Althans, ik wel, maar dat gevoel heb ik bij de andere meiden ook. We vinden het werk leuk. Méér dan dat. Een dagelijks avontuur. We genieten, al kunnen we dat tijdens de vlucht niet met elkaar delen. Ik ben altijd de enige stewardess aan boord. Maar met de mannelijke bemanning kan ik ook wel opschieten. We hebben een leuk team, al ken ik copiloot José Nicolas nog maar net; hij is nieuw aan boord. Wel leerzaam voor hem, zo'n vreselijke vlucht als vandaag naast commandant Calvo. Pedro Sacristán is de radiotelegrafist uit Segovia. Enrique Anuncibay, de boordwerktuigkundige, is ergens in de veertig en heeft twee dochters.

Ik weet niet of ik dit werk zou doen als ik kinderen zou hebben. Hoewel, eigenlijk doe ik precies hetzelfde nu, het gezin verwaarlozen. Mijn ouders kunnen me niet zo vaak zien en dat is niet hun schuld. Papa is af en toe wel dagen weg, maar nooit langer dan een halve week. Zij zijn er altijd voor mij geweest, ik ben het die dit werk heeft gekozen. Soms voelt het alsof ik hen in de steek heb gelaten. Als ik nou jongere broers en zusjes had gehad, was dat minder erg geweest. Voor papa en mama zal het nu wel heel leeg voelen, de grote flat. Een kamer verhuren willen ze niet. 'We willen geen indringers,' zeggen ze. Oma zorgt natuurlijk voor leven in huis, en opa wanneer hij niet op zee is, maar het is toch anders. Het zijn mama's ouders, niet haar kinderen. De afwezigheid van een vader of moeder is natuurlijker dan die van een zoon of dochter. Om van de dood maar niet te spreken. Ik weet niet hoe ik het zou vinden, papa of mama die er niet meer is. Maar als ze tachtig jaar hebben geleefd kan geen van ons klagen wanneer de dood op de deur klopt. Maar andersom? Ik moet er niet aan denken, een kind kwijtraken. Daarom die vrees van mama. Ik begrijp het wel, maar ze moet beseffen dat de vliegtuigen steeds moderner worden; dit werk is niet zo gevaarlijk meer.

Ik moet eerst even de passagierslijst ophalen. Het zijn er zeventien, stond in de papieren. In de zaal zie ik meer mensen zitten, maar dat is vast ook familie. Niemand komt zonder familie naar het vliegveld. Het vliegtuig van Iberia naar Madrid is net vertrokken, dus er kan in ieder geval geen verwarring zijn.

Op mijn wandeling over het vliegveld van Vigo word ik door collega's gefeliciteerd met de aankomst zojuist. Ze zeggen dat het een kunststukje van de piloot is geweest, want landen is vandaag een hachelijke onderneming. Opstijgen is iets eenvoudiger.

Mijn bemanning is nog even aan boord gebleven, om de instrumenten te controleren. Straks komen de commandant en de mannen snel iets eten. Ik heb geen honger, mijn maag is van slag.

'Wil meneer Celso González, met een reservering voor de vlucht naar Madrid, zich melden bij de balie van Aviaco?' De schelle stem klinkt door de luidsprekers en overwint het geklater van de regen op de ramen en het dak. 'Meneer Celso González uit Vigo...'

Ik loop naar de balie. De vrouw die erachter staat ken ik niet. Ik ben pas twee keer eerder in Vigo geweest.

'Stewardess Maribel Sastre Bernal?' vraagt ze me, zonder een antwoord te verwachten. Ik knik. Ze geeft me de passagierslijst, voor zestien van de zeventien namen staat een kruisje. 'Die meneer Celso González is nog niet verschenen. En er zijn twee minderjarigen die je onder je hoede hebt, zusjes van negen en tien.

Ze zitten al in de wachtruimte met hun opa. Wanneer vertrekken jullie?'

'Ik weet het niet,' zeg ik. 'Dat ligt aan de piloot, en aan de verkeersleiding. Ik hoop binnen een uur, dan zijn we misschien nog net voor het donker in Madrid.'

'Donker is het al de hele dag.'

Ik loop terug naar de wachtruimte en begin met mijn belangrijkste taak van de dag. Het is niet de eerste keer dat ik de verantwoordelijkheid over kinderen krijg. De laatste was een jongen van veertien, dat was geen probleem. Hij leek een volwassene en had al vaker gevlogen.

'Even kijken. Wie van de twee is María Josefa?' De twee guitige gezichtjes kijken me van onderen aan, de meisjes zijn netjes op de houten bank blijven zitten.

'Ik, mevrouw!' De blonde van de twee is de grootste, en de oudste. 'Maar ik heet eigenlijk gewoon Josefa.'

'Mejuffrouw, alsjeblieft. Ik ben niet getrouwd.'

'Hou oud bent u dan?'

'Achttien. En zeg maar jij. Ik heet Maribel. Zo veel schelen we niet. Hoe oud ben jij?'

'Tien mevrouw. Sorry, juffrouw.'

Ik draai me naar haar zusje, dat iets donkerder, korter haar heeft. 'Dan ben jij dus...'

'Esther!'

'Esther, juffrouw,' corrigeert haar zus haar.

'En jullie gaan met mij vliegen?'

'Jaaaaaa,' roepen ze tegelijk. De andere passagiers

kijken op. Hun opa zegt dat ze een beetje rustig moeten zijn.

'Geeft niets,' zeg ik, 'in een vliegtuig worden ook die volwassen passagiers weer een beetje kind.'

Voor elke passagier is vliegen een belevenis. Voor de meesten is het de eerste keer in de lucht, en elke vlucht geniet ik ervan hoe zij als kleine kinderen alles beleven. Ze vragen honderd dingen en ik geef ze met alle plezier honderd antwoorden, als ik ze weet.

'Zijn jullie al eens in een vliegtuig geweest?'

'Nee, juffrouw,' zegt de oudste. 'Hoe kan dat ding vliegen?'

'Oei, dat zal ik jullie straks wel uitleggen.'

Twee kleine meiden op wie ik moet letten. En tegelijk op alle andere passagiers. Gelukkig zit het toestel maar halfvol, ik zal de zusjes een plaats achterin geven, dicht bij mijn stoel en mijn kleine hokje. Ze hebben de leeftijd van een neefje van me. De opa is opgestaan, zijn blik is grauw, een contrast met de vrolijkheid van de meisjes. Hij wijst hun koffertjes aan; ik zeg dat dat wel goed komt en dat hij zich geen zorgen hoeft te maken.

'Door wie worden ze opgehaald?' vraag ik.

'Door hun vader, Rafael. Rafael Castillo. Mijn zoon. Hij is postbode, weet u. En hij heeft z'n kinderen al vijf jaar niet gezien.'

'Dus is iedereen dolblij,' probeer ik hem op te vrolijken.

'Ja,' zegt de opa. 'Maar dat weer, buiten?'

'Daar hoeft u zich ook geen zorgen om te maken,

meneer Castillo. De storm gaat al een beetje liggen. En als de wind te hard is, gaan we niet de lucht in. Dat bepaalt de piloot. Dus wacht u hier alstublieft met uw kleindochters, tot we weten of en wanneer we vertrekken. Ik kom straks bij u terug; ik moet nu eerst alle andere passagiers even nalopen.'

De meisjes hebben zich afgewend en zijn druk met elkaar en een paar poppen. Storm en afscheid gaan aan hen voorbij. Hun opa gaat weer zitten.

De storm. Ik heb mama vanmiddag na de landing in Santiago direct gebeld. Dat doe ik altijd als ik ergens arriveer, om haar gerust te stellen. Ze begon over het slechte weer, maar ik heb er niets over gezegd. Zal ik nooit doen. Elke vlucht is perfect; zo zal ze met de tijd steeds minder ongerust zijn. Ik vlieg nog geen zes maanden, het heeft tijd nodig. Ze moet snel eens mee op een kalme vlucht, dan zal ze nooit meer bang zijn dat mijn telefoontje op een dag niet komt. Nu gebeurt dat ook weleens, als de lijnen niet werken, en dan zit ze urenlang in angst.

Volgens mij weet mama diep in haar hart heel zeker dat mij nooit iets zal overkomen. Ze noemt me haar engel. Ik ben onsterfelijk, wat er ook gebeurt. Ik heb de bevalling overleefd, zo dicht bij de dood als toen zal ik nooit meer komen. Op mijn eerste babyfoto zie je de deuken van de forceps nog in mijn hoofdje staan. Vaak zeg ik mama dat boven in de lucht de dood helemaal niet zo dichtbij is als zij denkt. Integendeel, je voelt er het leven. Spanje ziet er vanaf drie kilometer hoog heel anders uit: een paradijs vol groene weiden, besneeuwde bergen, meren die als een spiegel glinsteren in het zonlicht, en steden en dorpen waar je vanuit de hoogte de armoede en de repressie niet ziet. Ik weet dat het bedrog is, maar dat maakt het niet minder mooi. In een vliegtuig ontsnap ik aan de dagelijkse zorgen. En de passagiers ook. Als ze eenmaal de angst van het opstijgen hebben overwonnen leven ze op. Aan boord zijn we allemaal gelijk. Niet iedereen heeft geld voor een vliegticket, maar toch zie je mensen uit verschillende klassen. Jong en oud, uit het noorden en uit het zuiden, republikeins of nationaal, er bestaat geen onderscheid tussen de mensen. De wereld is anders in een vliegtuig. Heel klein, dat wel. En rumoerig, door de motoren. Ik heb mama beloofd dat ze een keer gratis mag meevliegen naar Madrid, als er een vliegtuig niet vol zit. Op het balkon thuis op één hoog zal ze meer hoogtevrees hebben dan achter een vliegtuigraampje.

Zij en papa vergezelden me naar het vliegveld voor mijn eerste vlucht. Haar paniekerige blik toen, ik zal die nooit meer vergeten.

HOOFDSTUK 5

De linzen zijn afgekoeld. Dan zijn ze lekkerder. Ana Bernal lengt haar glaasje rode wijn aan met gazeuse, anders is het te sterk voor haar. Het is meer azijn dan wijn, maar wat wil je met een menu voor acht euro? Ze heeft zich vaak afgevraagd hoe het kan voor dat geld. Twee gerechten, een dessert, een glaasje wijn en wat brood. Als de mensen daarna maar een kopje koffie bestellen, legde Germán haar eens uit, daar verdient hij het meeste op. Of een whisky of cognacje voor de kantoorlui, als digestief. Die acht euro is al wel meer dan de duizend peseta's van een paar maanden geleden, dat was omgerekend zes euro. Alles is duurder geworden door die euro. Ze begrijpt het ook niet zo goed, Ana telt alles nog in peseta's. Maar om het geld hoeft ze het niet te laten, dat heeft ze wel. Van haar pensioen, en nog een beetje van het smartengeld van Aviaco, dat heeft altijd op de spaarrekening gestaan. Ze betaalt een lage huur. Vroeger was het een luxe, elke dag buiten de deur eten. Nu is restaurant Soley al twintig jaar haar keuken en eetkamer.

Het stuk aardappel in de linzensoep is nog een beetje rauw vandaag. Ze schuift het opzij, bij de knoflook en het laurierblad aan de rand van het bord. Ze kijkt op de klok boven de bar; het is tien voor half drie. Het restaurant is volgelopen, aan de bar staan mensen te wachten op een tafel. Te luide stemmen vullen de ruimte, waar ongeveer twintig tafels staan. De drie obers wringen zich langs de wachtenden met volle borden, uit de keuken klinkt een kreet als er weer een bestelling klaar is. Het gaat in sneltreinvaart, veel gerechten zijn al eerder op de dag bereid; slechts het vlees en de vis van de grill en de gefrituurde inktvis worden op het laatste moment klaargemaakt. Naast Ana komen en gaan de mensen, als de tafel nog moet worden afgeruimd nemen de volgende gasten al weer plaats. Hun lunch duurt nog geen tv-journaal. Ze praten bijna altijd over werk. Over de mensen op kantoor. De chefs. De borsten van de stagiaire. De tieten, zeggen ze eigenlijk. Of memmen. Borsten, nee, dat zeggen ze nooit. Het tafeltje naast haar, waar vier mensen aan kunnen zitten, staat op nog geen halve meter; ze kan alles horen als ze wil. Meestal zijn de gesprekken niet zo interessant, of kent ze die al van eerder. De bankemployés, die zijn het saaist. Er zitten twee bankfilialen op de kruising, zoals er op bijna alle kruisingen in de stad bankkantoren zijn. Banken, apotheken, en bars en restaurants, daar is geen gebrek aan. Zij gaat altijd naar dezelfde bank, naar dezelfde apotheek en naar hetzelfde restaurant. Meestal in die volgorde, want als ze uit het restaurant komt zijn de bank en apotheek al gesloten.

Ana schuift het bord opzij, bijna leeg. Op andere tafels volgt dan gelijk het hoofdgerecht, maar Antonio, Miguel en Juan weten dat ze bij haar een tijdje moeten wachten. Iedereen rent en vliegt, maar haar tafel is een eiland van ouderdom en rust. Haar maag heeft ook tijd nodig. Ze eet nog goed, met haar achtentachtig jaar, maar nooit te veel of te snel. Ze steekt een sigaret op, de rook golft over de tafel naast haar en stijgt langzaam op naar het felle tl-licht aan het plafond. Niemand aan de belendende tafels zegt er iets van, maar toch probeert ze de walm een beetje weg te wuiven. Twee van de mannen naast haar hebben ook de linzen voor zich staan, de andere twee eten macaroni; die heeft ze een keer geprobeerd en hoeft ze nooit meer.

Op de tv voorspelt de weerman dat het morgen nog iets kouder wordt en de sneeuwgrens op slechts vijfhonderd meter hoogte komt te liggen. In Barcelona heeft het sinds 1962 niet meer gesneeuwd. Een nachtmerrie was dat, voor Ana. Ze verdraagt de sneeuw niet. Ze heeft alles redelijk verwerkt, maar de sneeuw is haar blijven achtervolgen, een wit spook dat zich om verklaarbare redenen in haar herinnering heeft genesteld en nooit is gesmolten. De bergen hoeft ze nooit van haar leven meer in. Nu al helemaal niet meer, natuurlijk. Het lopen gaat iets moeizamer, haar kleine voeten bieden minder houvast. Maar aan een wandelstok wil ze niet. Naar het portiek van haar flat is het straks tien meter, dan nog een stukje naar de trap. Die kan ze niet alleen op. Een lift is er niet, in de flat. Altijd komt een ober haar ophalen en brengt een ober haar weer terug. Behalve als Mercedes mee gaat eten, een of twee keer in de week.

Miguel neemt zwijgend het bord mee en kijkt even naar buiten waar twee leuke meisjes die voorbijlopen lachend naar binnen kijken. Miguel is de jongste van de drie obers, ze kent hem niet zo goed. De meisjes zijn al weer verdwenen.

'Señora.' Miguel wil het bord kabeljauw voor Ana neerzetten. Haar handen rusten op tafel, tussen twee vingers is de sigaret ongemerkt tot het filter opgebrand. Er ligt as op de papieren placemat.

Voorzichtig beroert ze de kabeljauw met de vork. Hij valt in kleine mootjes uit elkaar, zoals het hoort. Net genoeg gegaard. Het is haar favoriete vis, zowel vers als gezouten. Vroeger, toen Josep María er nog was, zorgde zij 's avonds voor het eten, want ze was altijd eerder thuis van het werk dan hij. De stokvis zette ze dagenlang in de week om te ontzilten. Josep María hield er ook van. Met rijst, of in tomatensaus. 's Avonds aten ze altijd licht. Een visje, een salade. Altijd na acht of soms zelfs negen uur, aan de eettafel. De televisie stond er vlak naast. Ze keken naar het nieuws, dat altijd hetzelfde was als het middagnieuws. Er was maar één zender, niet zoveel als nu, wanneer Germán in de bar steeds van de ene naar de andere kan schakelen. Nieuws uit Spanje, het buitenland bestond bijna niet. Daarna bespraken ze altijd even de dag. Vooral die van Josep María Sastre, waar hij als vertegenwoordiger nu weer was geweest, hoeveel sieraden en horloges hij aan de juweliers had gesleten. Hij kende heel Barcelona, waar de markt al iets verzadigd was. Daarom reisde hij ook naar Mallorca, naar Valencia, naar Zaragoza. Vaak bleef hij enkele dagen weg.

Op vrijdagavond gingen ze altijd uit eten. Soms met meneer Wenceslao Guarro, de directeur van Ana. Ze was als secretaresse van zijn vader begonnen, don Lluís, een van de aardigste mensen die er op de wereld heeft bestaan. In zijn eentje zette hij met zijn papierfabriek een heel dorp aan het werk en op de kaart. Ana Bernal zorgde op het hoofdkantoor dat hij zich over het papierwerk geen zorgen hoefde te maken. Ze beheerde zijn agenda. Ze kocht bloemen voor mevrouw Guarro. Ze stuurde een chauffeur om de kinderen van school te halen. Ver weg van huis was het kantoor niet, aan de Via Laietana, maar Ana nam altijd de taxi. Ze hadden geen auto, dat zorgde alleen maar voor kosten en lasten. Josep María reisde ook met de taxi, want met zijn juwelen ging hij niet de metro in. De reizen verder weg deed hij meestal met de trein, en soms met het vliegtuig.

Ana laat ook nu de twee partjes aardappel liggen en eet alleen de kabeljauw op. Het is meer dan genoeg. Er komt nog een dessert, dat slaat ze nooit over. Ze houdt van zoet. De tafel naast haar wordt afgeruimd, aan de bar staan nog steeds groepjes mensen op een plaatsje te wachten. Nieuwe eters, nieuwe verhalen. Soms begroeten de mensen haar. Wat zullen ze van haar denken? Een zielig oud vrouwtje, elke dag aan dezelfde tafel? Af en toe spreekt ze met iemand, met mensen die net als zij al jaren vaste klant zijn. Daar zijn er maar weinig van, de meesten komen en gaan weer. Verhuisd, ander werk, andere gewoontes, een nieuw restaurant.

Zielig? Nee. Eenzamer, sinds Josep María er niet meer is. Twintig jaar geleden overleed hij. Hij had het aan zijn longen. Hij had heel veel gerookt. Wisten ze toen veel. Maar Ana stopte er ook niet mee, na zijn dood. Ze rookt niet zo veel. Maar twee sigaretjes tijdens en na het eten, en daarbij een glaasje wijn of cava, een likeurtje, waarom niet? Ze is nu bijna negentig, wat maakt het nog uit. Ze heeft geleefd wat ze moest leven. Ze had ook met Josep María kunnen gaan, of kort na hem. Maar haar lichaam en geest waren te sterk. De ramp met Maribel had zich al zo lang geleden voltrokken; de poel van verdriet was opgedroogd en ze was weer opgeklauterd. De dood van Josep María had ze makkelijker verwerkt. Het ging al een tijdje slechter met hem en zijn ademnood werd met de week nijpender.

De dood kan een verlossing zijn. Hij wilde niet lijden, zei hij. Hij zou ook nooit aan een zuurstofapparaat gaan. Dan zou hij nooit meer op straat komen. Hij vroeg de arts er een einde aan te maken, maar hij kreeg geen gehoor. Hoestend en piepend bracht hij zijn dagen door, tot het lichaam definitief opgaf. Ana rouwde om de man die sinds 1935 haar echtgenoot was geweest, maar het was anders deze keer, draaglijker. Hij had geleefd en gedaan wat hij wilde. Hij was, ondanks alles, gelukkig geweest en had zich op zijn werk gestort om te vergeten. Net als Ana zelf. Nooit had ze er na de tragedie over gedacht te stoppen met werken; daar vond ze afleiding, de steun van collega's, de vriendelijke opvang van meneer Guarro. Ze had gewoon tot haar vijfenzestigste gewerkt, Josep María was zelfs nog iets langer doorgegaan. Eigen baas, hij kon het niet laten. Het werk sleepte hen erdoorheen. En 's avonds vulden ze samen thuis de leegte.

Dat was waarom ze hem nog het meest miste. Zonder hem was het huis veel te groot. Een eet- en woonkamer, vier slaapkamers, twee badkamers. Haar moeder was enkele jaren eerder ook al overleden. Plots twee minder in huis. Mama. Over de negentig was ze geworden. Dat wenste Ana niet voor zichzelf. Eigenlijk was het nu al mooi geweest, op de grens van de negentig.

Het was een wonder dat moeder het nog zo lang had volgehouden, want ook zij had onder de tragedie geleden. 'Waarom, waarom, waarom?' Hoe vaak had ze dat niet gevraagd? Tientallen jaren lang. Waarom hadden ze Maribel laten gaan? Haar moeder had er nooit een antwoord op verwacht, want dat kon de pijn toch niet verlichten. Integendeel. 'Eindelijk,' was het laatste woord dat ze zei voordat ze ging.

Bezoek komt er weinig thuis. Ana heeft nog een zus, een zwager en enkele neefjes en nichtjes, maar ze zijn niet zo'n hechte familie. Het meeste heeft ze aan Mercedes. Ze vroeg haar eens of ze bij haar wilde komen wonen, dan zijn ook de avonden niet meer zo lang. Maar het gaat slecht met de vader van Mercedes. Ze moet haar aandacht verdelen en heeft steeds minder tijd voor Ana. Van alle dagen in de week dat ze kwam werden het er vier, drie en nu twee. Arme vrouw, ze ziet er steeds vermoeider uit. Haar vader heeft alzheimer. Ana weet zeker dat ze het zelf niet heeft. Ze heeft altijd veel gelezen en kruiswoordpuzzels gemaakt. Dat doet ze nog steeds. Haar ogen zijn goed, haar geest is niet achtentachtig. Alleen de benen, die wankele luciferhoutjes. Ze vindt het vreselijk om hulp te vragen.

Ook de vriendinnen gaan dood, de een na de ander. Steeds minder avonden gaat ze naar het theater of de film. Met de middagen naar de bingo was het al afgelopen, daar is in je eentje niets aan. Ze zag hen zitten, de oudjes, alleen aan een tafel in het halfduister met hun kartonnetje voor zich. Urenlang. Niemand om mee te praten. Dezelfde monotone stem uit de luidsprekers. Eenentwintig, achtenzestig, twaalf... Zo wil Ana niet eindigen. Het leven is lichter dan een donkere bingozaal.

HOOFDSTUK 6

Emilia Gesteira sloot de deur achter zich, Teresa liep aan haar hand de trap af. In de andere hand droeg Emilia de kinderwagen. Vier trappen, twee verdiepingen. Een fijne brede trap, niet dat benauwde slakkenhuis van de Béjarstraat. Toen ze beneden de deur naar de straat opende maakte Teresa sprongen van vreugde, als een hondje dat werd uitgelaten. Ze kwispelde met haar speelse neus.

Emilia nam haar elke dag mee. Een van de nonnen zorgde voor Teresa terwijl Emilia haar werk deed als schoonmaakster.

Ze had haar plaats gevonden, dat wist ze nu zeker, na een paar weken al. Een eigen voordeur, een gang, een keuken, de wasplaats, elk detail vervulde haar met een geluk dat ze sinds het vertrek uit Galicië niet meer had gekend. Een wijk van acht straten, omgeven door heuvels die voor de kinderen net bergen leken. Ze hoopten dat het deze winter zou gaan sneeuwen.

Niemand zou haar hier meer wegkrijgen. Haar

niet, Rafael niet en hun vier dochters niet. Hoeveel heimwee ze de afgelopen jaren ook naar Galicië had gehad, vanaf nu zou ze er niet meer om treuren.

Er liep een traan over Emilia's wang. Het was koud geworden. Door de harde wind, vooral. De winter was vroeg gekomen dit jaar. De grijze lucht voorspelde regen. Of misschien zelfs de sneeuw die de kinderen zo blij zou maken. Ze hadden kartonnen dozen bewaard om van de heuvels te kunnen glijden. Emilia had nog naar Carmen geroepen dat ze een muts op moest doen.

Het wijkje deed Emilia denken aan Carballedo, het dorp waar ze haar tienerjaren had doorgebracht. Het platteland van Galicië, waar de families al eeuwen samenleefden en vriendschappen en vetes van generatie op generatie gingen. Met een overschot aan oudjes, die elke ochtend en elke avond op hun bank op het plein zaten en de roddels bespraken en verspreidden. Iedereen kende iedereen. De jongeren waren naar de stad getrokken. Of hadden de oorlog niet overleefd. De oorlog was het excuus voor haar vader geweest om Emilia in Carballedo achter te laten, bij familie. Hij vond Pontevedra te gevaarlijk voor haar. De opstandelingen van Franco pakten duizenden mensen op. Galicië was hun bakermat, hier overwonnen zij het eerst, alsof Franco vanuit zijn huis in de havenstad El Ferrol de revolte was begonnen en zijn geboortestreek als eerste onderwierp. Emilia's moeder was na de scheiding verdwenen, en haar vader kon geen puber om zich heen dulden in zijn strijd om te overleven.

Aanvankelijk verweet Emilia hem dat hij haar had achtergelaten in een uithoek waar de dorpen eigenlijk geen dorpen waren, maar een toevallige aaneenschakeling van huizen tussen bossen en weilanden. Ze zag haar moeder al nooit meer en kon niet begrijpen dat een vader haar liever niet bij zich had. De oorlog leek haar een excuus; juist met een kind bij zich zou ook hij minder gevaar lopen. En haar zouden ze toch nooit iets aandoen. Vader zei dat er te veel verraders in de stad waren; onbekende gezichten informeerden wie precies wie was, wat zijn politieke ideeën waren en waar hij zich met zijn vrienden ophield. In het dorp zou het veiliger zijn, wist je wie de vijand was.

'Waarom kom je dan niet met mij mee?' had ze hem gevraagd. Uitgesloten, had haar vader resoluut geantwoord. Na zijn jaren in Madrid zou hij in een dorp niet meer kunnen aarden. En er was geen werk daar. In Pontevedra kon hij geld verdienen, sparen misschien, om hopelijk na de oorlog een studie voor haar te kunnen bekostigen. Zodat ze niet zoals alle andere vrouwen vroeg hoefde te trouwen en te zorgen voor de kinderen, man en vaak ook diens ouders.

Emilia wist niet dat ze uiteindelijk zo gelukkig in het dorp zou zijn dat ze nooit meer zou willen terugkeren naar de stad. Naar haar vader. Ze had er Rafael Castillo ontmoet, wiens ouders er elke zondag bij familie op bezoek kwamen. In de vakanties was hij er weken-, soms maandenlang. De eerste dag dat zij in het dorp aankwam zag ze de jongens al kijken;

er woonden er maar weinig. De meeste kende ze wel van haar bezoeken aan oom en tante. Vrienden van haar neef. Ook Rafael. Ze vond hem de leukste, al was hij enkele jaren ouder. Terwijl de oorlog in verre streken voortraasde en Madrid en Barcelona zich tegen de rebellen van Franco verdedigden, brachten zij hele weekeinden met elkaar door. Ze maakten wandelingen in de omgeving, hij liet haar de beekjes en bossen ontdekken. Rafael was attent, niet opdringerig. Eerder verlegen. Pas na enkele jaren, de oorlog was beëindigd en Emilia was al veertien, kusten ze elkaar voor het eerst in het steegje achter het huis van haar tante. Vanaf toen ging het snel. Ze trouwden en gingen bij zijn ouders in Pontevedra wonen. Op haar zeventiende kreeg ze Carmen. Kort daarop volgden Josefa en Esther.

Rafael, enthousiast gemaakt door de buren die het postkantoor beheerden, deed een examen voor een baan bij de posterijen. Hij slaagde, maar hij had niet verwacht dat hij in Madrid zou worden gedetacheerd. Ze hadden Pontevedra wel willen verlaten, maar dan voor een stad in de buurt. Vigo, Ourense, Santiago de Compostella, La Coruña hooguit, dat was ook mooi voor de meiden. Maar zo ver weg? Met drie dochtertjes van vier, vijf en zeven? Madrid groeide hard, zeiden ze bij de posterijen, en de provincies liepen leeg. Madrid had hem nodig, maar hij kende Madrid niet. De hoofdstad was duur bovendien. Zo hoog zou zijn salaris als nieuwkomer niet zijn, ook al was hij bijna dertig. Ze besloten alleen de oudste mee te nemen,

Carmen. Josefa en Esther kregen voorlopig onderdak bij Rafaels ouders in Pontevedra. Zij zouden later naar Madrid komen, zodra Rafael en Emilia een ruimere, waardige woning hadden gevonden en zeker wisten dat ze daar zouden blijven. Later...

De dood van Emilia's schoonmoeder en de toewijzing van de flat in de postbodewijk vielen samen. Gods wil. Hij had het goed met hen voor, toch nog.

Rafaels vader kon het niet meer alleen aan. Hij had mindere momenten, vanwege de leeftijd. En dan de zorg voor twee meiden van inmiddels negen en tien in huis. In het dorp zouden buren en familie nog geholpen hebben en hadden ze veel op straat kunnen spelen, maar in Pontevedra was het toch anders. Drukker, gevaarlijker. Hier, in Colonia Margarita, zou het weer net als in het dorp zijn. Een oase aan de rand van het hectische Madrid. Verkeer was er nauwelijks, slechts de wagens van de straatveger en de oudijzerverzamelaar, getrokken door twee muilezels. Plus de fiets van de messenslijper. De tram stopte aan de rand van de wijk. De kinderen konden altijd en overal op straat spelen, of in de weilanden achter de laatste flats.

Er waren veel kinderen in de wijk, ze hadden altijd vriendjes om mee te spelen. Verstoppertje, knikkeren, hinkelen.

Aan Carmen en Teresa kon ze zien dat ook Josefa en Esther hier gelukkig zouden zijn en Galicië geen moment zouden missen. Het speet haar voor Rafaels vader. Die zou alleen achterblijven, zonder de vreugde van de jeugd om zich heen, zonder de afleiding die de meiden hem na de dood van oma hadden gegeven. In zijn brieven benadrukte hij dat vaak, hoe vrolijk de twee meiden altijd waren. Dat Emilia en Rafael zich echt geen zorgen moesten maken, dat de meisjes altijd hadden begrepen waarom zij die dag in 1953 niet mee mochten op de verre reis van papa, mama en María Carmen.

De dood van oma had hen wel veranderd, erkende hij. Ze begrepen het niet, dat oma er niet meer was. Dood bestond niet. Papa en mama en Carmen waren ook weg, maar die waren niet dood. Iedereen kwam altijd weleens terug. Ze hadden gevraagd of ze oma mochten zien toen ze in haar kist lag en iedereen uit de stad en het dorp een kijkje kwam nemen, een kus op het voorhoofd in de kist plaatste of een hand langs het verstijfde lichaam liet glijden. Ze waren nieuwsgierig. Waar keken al die mensen naar, wat raakten ze aan? Opa had niet toegestaan dat de meisjes dicht bij de kist kwamen. Ze moesten zich oma herinneren zoals ze haar in leven hadden meegemaakt, een warme vrouw met een eeuwige Galicische blos op haar wangen. Niet een koud kadaver met een onbestemde bleke kleur. Dat was oma niet. Ze zouden ervan schrikken. Hij was ervan geschrokken. Een spook dat voor altijd door hun leven zou wanen. Oma moest de vrouw van de laatste kus op het bed blijven, ook al was ze zwak en ziek. De warmte van een lang leven, niet de kilte van een kortstondige dood. De slappe, klamme hand waarmee ze de pols van de meisjes teder vasthield, de lieve laatste woorden. Dat ze snel terug naar hun vader en moeder zouden gaan. Dat ze de liefste kleinkinderen van de hele wereld waren.

Rafael wilde zijn spaargeld niet uitgeven om bij de begrafenis van zijn moeder te kunnen zijn. Zo veel opofferingen deze jaren, elk pleziertje dat ze zichzelf hadden onthouden, elke peseta die ze drie keer hadden omgedraaid, alles bewaard voor de reis van de meiden. Zijn vader begreep het. Er zouden genoeg mensen zijn om de stille uren in deze dagen te vullen, troostte hij zijn zoon.

Rafael Castillo miste niet alleen het opgroeien van twee van zijn dochters, maar ook het ouder worden van zijn eigen vader en moeder.

Emilia duwde het wagentje met Teresa voor zich uit. Soms werden ze op een hoek van de straat overvallen door windstoten. Ze dacht dat ze onweer hoorde maar toen ze naar boven keek zag ze een vliegtuig dat net van Barajas was opgestegen. Afhankelijk van de windrichting kwamen de toestellen akelig laag over. De wind blies vandaag uit het westen.

Ze liep de hoek om bij de laatste flats van Colonia Margarita en stak over naar Canillejas, het dorpje dat hier al eeuwen lag en de laatste jaren door de komst van immigranten was uitgedijd. Er stonden fabrieken die als magneten werkten op arbeiders en hun gezinnen uit grote delen van Spanje. Bossen, landbouw- en weidegrond verdwenen gestaag onder het beton van de flatgebouwen. Landeigenaren die hier generaties lang een feodale macht hadden opgebouwd werden nóg rijker door het verkopen of verpachten van hun grond voor huisvesting. Arbeiders die wanhopig naar een woning zochten brachten meer geld op dan koeien, schapen en wijngaarden.

Aan de overkant werd het hele blok in beslag genomen door het sobere gebouw van de nonnenschool; de leerlingen waren al binnen.

Emilia hoopte dat haar werkdag snel voorbij zou gaan. Ze kon nog niet geloven dat aan de grootste fout van haar leven vanmiddag een einde zou komen. Zo vol als de kamer in de Béjarstraat altijd was geweest, zo leeg had Emilia zich gevoeld. Ze had spijt gekregen, ondraaglijk zelfverwijt gevoeld. Ze had Rafael alleen naar Madrid moeten laten gaan en met haar drie dochters in Pontevedra moeten blijven. Rafael wilde dat niet. Hij zou niet zonder haar kunnen, had hij gezegd, in een vreemde en vijandige stad. Hij kon geen eten koken, om maar iets te noemen. Maar hij had ook haar liefde nodig, corrigeerde hij zich snel. Samen zouden ze meer kunnen verdienen en daarmee meer sparen om de droom van een grotere woning en de hereniging te verwezenlijken. Emilia had zich laten overhalen; ze was met hem op de trein naar Madrid gestapt, met Carmen aan haar zijde. Opa en oma stonden met Josefa en Esther op het perron van het station van Pontevedra. Oma huilde, de meisjes niet. Nooit waren ze op vakantie geweest, alleen in de lange zomers en bijna alle weekeinden naar Carballedo, net twintig kilometer ver; het woord reis kenden ze niet. En nu zagen ze papa en mama en Carmen in een tergend trage trein wegrijden. Ze wuifden tot de rails in een wijde bocht wegdraaiden en Emilia hen niet meer kon zien.

HOOFDSTUK 7

De markiezen van Leis. Op de lijst staat een teken dat ik hen als eerste moet aanspreken. Adel heeft voorrang in dit land. Ik heb er nog nooit van gehoord, Leis. Ze krijgen de twee stoelen op de eerste rij. Aan de vijf koffers in de hoek van de wachtruimte, bij het raam, kan ik zien dat zij het zijn. Daar is ook de enige vrouw met een hoed op. Er staan sowieso niet veel vrouwen op de lijst. Ik bekijk het papiertje nogmaals; nog één andere vliegt mee, naast de zusjes. Reizen is een wereld van mannen. Veel van hen zitten keurig in het pak, de markies van Leis heeft ook een pochet. Ik loop op hen af en stel me voor. De vrouw steekt gelijk van wal.

'Ik heb mijn man gevraagd of we alsjeblieft met de trein kunnen gaan, maar hij stond erop te vliegen, terwijl ik daar helemaal niet van houd. Nu is het ook nog dit weer. Kunnen we wel reizen zo?'

Alle reizigers zijn ongerust. Uren wachten heeft dat alleen maar erger gemaakt, in deze ruimte waar de regen als kogels tegen de grote ramen ketst en het daverende geluid van de vliegtuigmotoren buiten al de hele dag door het geweld van de helse storm wordt overstemd.

'Kijk daar, mevrouw...' Ik wijs naar de baan buiten, waar een toestel van Iberia klaarstaat om op te stijgen. Het geraas van de motoren dringt nu ondanks het gekletter van de regen ook de wachtruimte binnen; iedereen kijkt naar buiten, naar de flitsende lampjes onder de Douglas DC-3 van de concurrent. Het toestel is gelukkig niet groter dan het onze, anders zouden de mensen misschien spijt krijgen dat ze bij Aviaco hebben geboekt. We kunnen de korte aanloop op de startbaan zien. Snel en ogenschijnlijk zonder problemen trekt de piloot het toestel de lucht in, waar het binnen enkele seconden door de lage wolken wordt opgeslokt.

'Als het gevaarlijk zou zijn, zou geen piloot opstijgen, mevrouw. Ook de onze niet. Hij is verantwoordelijk voor zijn passagiers en zijn bemanning, en bovendien heeft hij zelf vijf kinderen. U denkt toch niet dat hij die nooit meer zou willen zien?' Ik zeg het op een rustige, vriendelijke toon, maar de vrouw kijkt nog steeds bedenkelijk.

'Bovendien is Calvo Nogales de piloot, dat heb ik haar gezegd,' valt de markies me bij. 'Ik ben zelf vliegenier en heb een klein toestel op de Aeroclub van Vigo, en iedereen kent deze gezagvoerder. We zijn zelfs goede bekenden van elkaar.'

'Dat kan ik beamen, mevrouw.' Een jongeman die rechts naast het stel zit valt de markies bij. 'Ik ben piloot bij de koopvaardij, ook daar kennen we commandant Calvo Nogales. "De hond", is zijn bijnaam.'

'De hond?' De markiezin kijkt hem met afgrijzen aan. 'De hónd?' herhaalt ze. Ze richt zich tot haar man.

'Ja, dat is zijn geuzennaam,' zegt de markies. 'Uit de oorlog. Maar ik zou niet weten waarom ze hem zo hebben genoemd.'

De jongeman weet het ook niet. 'Maar vraagt u onder piloten naar "de hond", dan zullen ze allen bevestigen dat er geen beter vlieger is dan hij. Hij is de chef van alle piloten van Aviaco. En hij was lid van de groep van García-Morato.'

Ik vraag de jongeman wie hij is.

'Javier Caparrini, juffrouw.' Ik streep hem weg op de lijst. Hij is van 1935, drieëntwintig jaar pas. Uit Madrid, zie ik. Hij is alleen. 'Ik heb de laatste maanden hier voor de kust gewerkt; ik ga nu voor de feestdagen naar huis.' Ik heb niets gevraagd, maar mensen vertellen graag hun verhaal, hoe kort ook.

De markies geeft het nog niet op. 'Zou Calvo Nogales niet de piloot zijn, dan zou ik misschien niet aan boord zijn gegaan, Maribel.'

Ik sta verbaasd. 'Sorry? U kent mij ook?'

'Nee, Maribel... Mijn vrouw heet zo. María Isabel. U ook?'

Ik knik. 'Ik heb twee plaatsen op de eerste rij voor u beiden, direct achter de cockpit. Dan kunt u contact met de piloot hebben. Hij zal binnen een uur beslissen of en wanneer we vertrekken.'

De markiezin geeft haar protest niet op. 'We gaan naar het zilveren huwelijksfeest van mijn zus. Normaal reizen we altijd met de auto naar Madrid, weet u, maar bij de vorige reis kregen we een ongeluk...'

'Zie je, de weg is niet veilig, lieverd,' onderbreekt de markies haar.

'Maar de auto is gerepareerd nu,' gaat ze verder, 'dus halen we hem op bij de garage in Madrid en de terugreis doen we zeker weer in de auto. Toch?'

'Ik beloof het, schat. Zonder auto kunnen we niet.'

Ik zeg dat ik verder moet met de andere passagiers, dat we elkaar straks nog zullen spreken. Ik verbaas mezelf over hoe ik hen probeer gerust te stellen terwijl ik zojuist bij de landing exact hetzelfde gevoel had als de passagiers nu.

Je kunt voelen wanneer een vliegtuig het moeilijk heeft, wanneer het toestel het er niet mee eens is dat het de lucht in moet. En zeker onze Languedoc protesteert nogal snel. Het is een oud toestel. Ik vlieg liever met de Bristol dan met de Languedoc. Het kraken van het karkas had ik nog nooit zo intens gehoord als bij de landing net. Het toestel jammerde en moest opgelucht zijn dat het eindelijk aan de grond stond, net niet knock-out, maar wel aangeslagen. Je begint elk toestel te kennen, met zijn nukken. Ik spreek het altijd even aan als ik voor het eerst aan boord ga. Ik streel het over de romp zoals je bij een paard doet. Ik ben niet bijgelovig, maar in de lucht neem je andere gewoontes aan dan in het leven op de grond. Meestal ben ik zo druk aan het werk dat ik er niet bij stilsta, maar het blijft iets tegennatuurlijks, een groep mensen in een metalen kist de hemel in sturen. En aan de meeste passagiers is te zien dat zij dat ook vinden. Ze zweven tussen het avontuurlijke en de angst in; er zijn er genoeg die op het laatste moment niet aan boord durven gaan. De dagen nadat er ergens een vliegtuig is neergestort delen we geen kranten uit, of we scheuren de pagina met het bericht eruit. Iets wat onmogelijk is wanneer de ramp in Spanje heeft plaatsgevonden; dan wijden de kranten er niet alleen de voorpagina aan maar ook nog eens zes, zeven of acht andere pagina's. Als er een treinongeluk met doden is vinden ze dat veel minder interessant. Volgens papa komt dat door de censuur. Een vliegtuigongeluk is doorgaans de schuld van het weer of de piloot. Een treinramp wordt meestal veroorzaakt door de belabberde infrastructuur, en omdat die beheerd wordt door de staat wil het regime voorkomen dat er veel aandacht aan wordt besteed. Papa vertelde me eens dat er kort na de oorlog een gigantisch treinongeval was in een tunnel in Noord-Spanje; er stond in de kranten dat er nog geen tachtig dodelijke slachtoffers waren gevallen, maar getuigen hadden het over meer dan vijfhonderd. Franco wilde blijkbaar niet nóg meer doden op zijn geweten hebben.

Ik loop langs de lange banken in de wachtruimte; veel passagiers worden omringd door familie die hen komt uitzwaaien, maar enkelen zitten net als Caparrini alleen. Ze komen waarschijnlijk niet hier uit Galicië en zullen hun familie pas op de plaats van bestemming zien. De jonge handelsreiziger uit Barcelona is alleen, hij zit nog altijd naar me te kijken. Naast hem nóg zo'n jonge reiziger, het is geen vlucht van oudjes vandaag. Donker haar, een iets donkere huid. Ook geen familie bij zich. Ik loop in een rechte lijn op hem af.

'Goedemiddag. U vliegt naar Madrid?'

'Ja, juffrouw.'

'Ik zal uw stewardess zijn. Uw naam, alstublieft?'

'Ignacio Tagle.'

'Even kijken... Manuel Ignacio Jorge Tagle Arcaya. Een hele mond vol. Uit Chili?'

'Ja, Santiago, juffrouw.'

'En nu in Vigo?'

'Ik ben eergisteren met de boot aangekomen, uit Montevideo, Uruguay. Een jaar geleden ben ik uit Santiago vertrokken.'

'Zijn verloofde liet hem in de steek, dus hij dacht: wegwezen.' Naast de Chileen lacht Ángel Murcia uit Barcelona. De twee hebben ongetwijfeld al een tijd zitten praten. Ze zijn even oud, vierentwintig.

'En nu naar Madrid?' vraag ik aan de verre reiziger.

'Ja, daar wil ik studeren.'

'Hij wil haar vergeten,' breekt zijn buurman weer in.

'Ángel, alsjeblieft...' De Chileen bloost. 'Het is een lang verhaal, mevrouw.'

'En een lange reis, dus. Nog eventjes maar. Een vlucht van twee uur en dan is uw odyssee voorlopig ten einde.'

'Ja, zeg dat wel.'

'En meisjes genoeg in Madrid.' Ik gun hem een knipoog.

Er is geen haast. De bemanning is nog niet van boord gekomen. Ik heb tijd voor de passagiers. Ik vind het leuk, alle verhalen, zulke verschillende mensen. En voor hen is het geruststellend misschien, de aandacht.

Soms krijg ik van een passagier een cadeautje. Ze vinden me wel aardig, zeggen ze dan. Misschien dat sommigen met zo'n presentje iets meer willen zeggen. Ik vind het prima, maar een vriendje hoef ik niet. Bovendien, welke man wil nou een meisje dat voortdurend op pad is, elke dag andere mensen leert kennen, in verre steden in hotels overnacht en overal in de belangstelling staat omdat ze stewardess is? Soms voel ik me Ava Gardner, met al die aandacht.

Enkele van de cadeaus die ik krijg bewaar ik voor mama. Het is nu veel leuker en spannender om thuis te komen dan toen ik naar school ging. Dat was routine, elke dag hetzelfde. Oma deed de deur open. Mama was er nooit, ze was nog aan het werk. En als ze thuiskwam dook ze snel de keuken in, zodra ze er zeker van was dat ik mijn huiswerk maakte. Nu staat ze altijd op me te wachten, maakt niet uit om welke tijd ik arriveer. Dat mag ze van haar baas. En als ze desondanks niet thuis kan zijn is oma er altijd voor me. Het zal helaas niet zo vaak meer voorkomen, want vorige week ben ik overgeplaatst naar Madrid. Ik woon er in een Aviaco-flat met andere stewardessen. Een promotie, zeg maar. Na minder dan zes maanden al. Vanuit Madrid vertrekken meer vluchten dan vanuit Barcelona. Maar ik zal wel af en toe op Barcelona vliegen. Met kerst, hebben ze me beloofd, zal ik thuis zijn. Voor mama is dat nauwelijks enige troost. Ze vindt dat een meisje van achttien veel te jong is om haar vleugels uit te slaan. Toch ziet ze me liever minder vaak maar gelukkig, dan elke dag maar nukkig. En van overal waar ik kom neem ik souvenirs mee, of iets lekkers. Met kerst zal ik in Madrid chocola voor haar kopen. Of een flesje likeur, ze drinkt altijd wel een glaasje per dag.

HOOFDSTUK 8

Vandaag is het toetje een pudding. Het journaal van drie uur is begonnen. Ana Bernal hoeft niet om het kleine flesje cava te vragen, dat komt automatisch met het dessert mee. De pudding is een beetje slapjes en hangt er triest bij op het bord. De slagroom is ook ingezakt. Ana zegt er niets van. Veel trek heeft ze niet meer. Ze steekt een nieuwe sigaret op en schenkt haar champagneglas in. Ze kijkt naar buiten en ziet het meisje in uniform opnieuw voorbijkomen, nu in tegenovergestelde richting.

Er is deze dagen een grote beurs in de stad, dan is er veel werk voor hostessen als zij. Ook voor taxichauffeurs en prostituees. Enkele maanden was er op de verdieping onder Ana's flat een bordeel en verdween de rust. Ze zijn met slechts vijf buren, één deur per verdieping. Nooit is er enig lawaai. Dat veranderde toen al die mannen plots langskwamen, van 's morgens vroeg tot 's avonds laat. Schichtig keken ze weg als zij hen in het portiek tegenkwam. Ze werd gek van het getik van de meiden op hoge hakken. Met de andere buren diende ze een aanklacht in; binnen een week was het bordeel verdwenen.

Ana ziet van het meisje nu alleen haar rug en de elegante lange stappen, alsof ze over de stoep zweeft en de blikken van voorbijgangers of van de obers in het restaurant haar niet kunnen vangen. Dan is ze weer uit het zicht, de hoek om. Ana zelf liep altijd met kleine, driftige stapjes. Door die korte beentjes. Gracieus was het niet, maar ze was een mooie vrouw, zei iedereen. Ze leek op haar moeder. En Maribel was op haar beurt weer gelijk aan haar. Nu is die felheid uit haar stappen verdwenen. Ze schuifelt. De kleine hakken onder haar schoenen heeft ze afgezworen, waardoor ze nog kleiner is. Andere vrouwtjes ziet ze weleens met pantoffels op straat. Dat zal Ana nooit doen, ook niet voor die tien meter van het portiek naar het restaurant. Mocht ze eens buiten bezwijken dan wil ze niet met pantoffels gevonden worden. Of in een kamerjas. Ze neemt niet meer zo veel tijd als vroeger om zich op te maken, maar zonder een laagje lippenstift, haar twee gouden ringen, de halsketting met het fototje van haar dochter en de kleine oorbellen gaat ze nooit de deur uit.

De eerste keer weer met Josep María naar het theater, dat was een belangrijke stap geweest. Zichzelf plezier gunnen, het vermaak niet meer als een zonde zien, als een onvergeeflijke daad van bedrog. De zwarte jurk definitief uit. Daarna op vakantie, een korte reis, met het vliegtuig. Daar had ze meer moeite mee gehad. Josep María niet, die deed het al voor zijn werk. Ze had zijn hand wit geknepen, bij het opstijgen. Ze vielen nog zo vaak uit de lucht, die rotdingen. Hij had geweigerd met een auto te gaan. 'Dat is nog veel gevaarlijker,' zei hij. Er vielen meer doden op de weg dan in de lucht.

Ze was blij dat ze het aangedurfd had. De ontvangst van de familie in Sevilla was overweldigend geweest. De meesten had ze nooit gezien, broers en zussen van mama en hun kinderen. Het land was zo groot toen, familie zag je nauwelijks nog als je ergens anders in Spanje was gaan wonen. Ze is daarna vaker langs geweest en heeft haar moeder eens meegenomen toen haar vader er niet meer was. Vader had ook niet van vliegtuigen gehouden. Een zeeman. Altijd op het schip, maandenlang weg. Daarom had haar moeder tot haar dood bij hen ingewoond.

Nog een halfuurtje, dan zal Ana vragen of iemand haar naar huis brengt. Als Antonio het al niet eerder voorstelt. Maar ze hebben nooit haast hier. Tegen vieren zijn alle eters weg en de tafels afgeruimd. Dan gaat het personeel even samen zitten, een koffie of een biertje doen. Daarna naar huis om even uit te rusten, want 's avonds moeten de meesten weer hier werken. Ana kijkt van een afstand toe. Op televisie zijn de gebruikelijke tien minuten reclame bezig. Germán zet het geluid dan altijd uit.

Germán en Antonio kennen haar verhaal al; veel woorden wisselt ze niet meer met hen. 'Hoe is het vandaag?' 'Goed.' Nooit is het slecht. En als zij zich minder voelt dan laat ze het niet merken. Deze mannen moeten werken, ze gaat hen niet lastigvallen met haar ongerief. Sommige vriendinnen klagen graag. De leeftijd, zeggen ze dan. De pijntjes. Marta gaat elke week twee of drie keer naar de dokter. Eerst de huisarts, en daar zeurt ze net zo lang tot ze naar een specialist mag. Nooit weet ze precies waar de pijn zit. Ergens binnenin, zegt ze, en dan drukt ze op haar maag of in de darmen of in de hals. Ook Marta kent Ana's verhaal. Ze zou dus niet zo over verzonnen pijntjes moeten klagen. Zulke pijn als Ana heeft Marta nooit gevoeld. Toen haar man overleed leefde zij weer op, want ze kon eindelijk zelf het geld uitgeven.

Bij Ana is de pijn natuurlijk verzacht. Nooit helemaal verdwenen in die veertig jaar. Maar hoe veel ze ook huilde of rouwde, de tijd was niet meer terug te draaien. Het was gebeurd. Josep María had de stap sneller gemaakt, haar kostte het meer moeite. Net als haar moeder, die was nog veel meer van het drama. 'Waarom, waarom?' En dan zei ze dat met een gebroken stem en toverde het intens diepe verdriet op haar gelaat. Of meer dan verdriet was het spijt, alsof het haar schuld was geweest. Zo wilde Ana Bernal niet de rest van het leven door. Wroeging verzwelgt je, kan zich ergens diep in het lichaam ophopen en een ongeneeslijke krop tussen de maag en het hart vormen.

De eerste weken helpen anderen je het leed te dragen, daarna sta je er alleen voor. Ze willen je er niet steeds aan herinneren. Of ze denken dat het wel weer goed met je gaat, want je huilt minder en je praat er minder over. Vanzelfsprekend. Jij wilt hén er niet mee lastigvallen.

Aan onbekenden vertelt ze het nooit. Bij iedere vluchtige kennismaking is het een vraag die altijd komt. 'En uw kinderen?' Geen zin het allemaal uit te leggen. Want dat zou weer tot de volgende vraag leiden. 'En wilde u er niet meer dan één?' Ja, dat had ze wel gewild, twee of drie, maar met de forceps had de vroedvrouw een spoor van vernieling achtergelaten. Het was net na de oorlog, alles was heel precair; je mocht blij zijn als de nonnen je kind levend op de wereld trokken en je zelf ook heel bleef. Nee, zei ze dus steevast, ze had geen kinderen. Wat trouwens weer aanleiding gaf tot domme vragen en soms verontwaardiging zelfs. Geen kinderen, hoe durfde ze. Wat egoïstisch.

Ana gebaart naar Germán. De rekening zal snel worden gebracht. Koffie hoeft ze niet, die zou haar uit haar siësta houden. Op de lichte roes van de wijn en cava zal ze zo in haar brede en zachte armstoel een paar uurtjes wegdrijven, op de zee waar haar vader het grootste deel van zijn leven doorbracht en waar zijn as door de golven is opgenomen. De eerste jaren in Barcelona woonden ze dicht bij de haven. Haar vader wilde het liefst zo snel mogelijk thuis zijn als hij na maanden weer eens aan wal kwam. Ana mocht de boot soms op als die aangemeerd lag.

Zonder zee in de buurt zou ze niet kunnen leven. Elke zondag neemt ze de taxi naar de visserswijk van Barceloneta – vroeger met Josep María, nu meestal met een vriendin – en wandelt ze door de smalle straatjes, snuift ze de zilte lucht op en eet ze garnalen in een van de kleine restaurantjes waar haar vader hele middagen doorbracht als hij een paar weken aan land was. Als een godswonder hebben sommige barretjes de moderniteit overleefd. De wijk is veranderd, de haven lijkt in niets meer op de grauwe en lawaaierige uithoek die het vroeger was. Aan het witte strand komt nu geen einde en tussen de vele boomlange toeristen voelt Ana zich kleiner dan ze ooit is geweest. Het strand zelf heeft ze altijd gemeden, ze houdt van een blanke huid. De zon zou nu, op haar leeftijd, alleen maar lelijke vlekken in haar gezicht en op haar armen veroorzaken. Ze geniet meer van het zondagse uitstapje op de spaarzame stormachtige dagen in de herfst en de winter, wanneer de golven machtig zijn en de zeelucht haar longen opfrist. Josep María had dat zijn laatste jaar niet meer gered. Hij overleed in de zomer, toen de hitte zijn benauwdheid verergerde.

'Señora Ana.' Miguel, de jongste van het stel, legt de handgeschreven rekening voor haar op tafel. Menu, en 1,50 voor de cava... Negen euro vijftig. Bijna zestienhonderd peseta's. Ze laat zoals elke dag de vijftig cent wisselgeld als fooi liggen. Miguel vraagt of hij haar zal vergezellen. De jongeman heeft dat nog nooit gedaan sinds hij hier twee maanden werkt. Meestal gaat Antonio mee, af en toe Juan. En Germán zelf als de obers het te druk hebben. Germán staat achter de bar, doet de drank en de koffie, geeft de orders aan de keuken door en beheert de kassa.

'Ja, dat is goed,' zegt ze. 'Weet je waar ik woon?'

Ze wijst hem de korte weg. De deur uit, even naar links, het eerste portiek. Het deurtje is te laag voor Miguel, hij moet bukken maar laat haar linker bovenarm niet los. De trap is te smal voor met z'n tweeën, dus de jongen blijft netjes achter haar en geeft haar een klein duwtje als het nodig is. Als ze op de tussenverdieping zijn gaat het licht uit; ze zegt de jongen waar de knop zit. Het is donker hier, ramen zijn er niet. Nog een etage, dan zijn ze op de Principal, de verdieping met de grootste woning van de flat. Bij de voordeur draait Miguel zich om, maar Ana sommeert hem haar tot in de woonkamer te begeleiden. Ze wil geen ongelukje op het laatste moment. Mercedes zal pas morgen weer komen, ander bezoek verwacht ze niet. De lange, smalle gang leidt naar de woonkamer aan de voorkant. De ober helpt haar voorzichtig in haar stoel. Als hij zich opricht kijkt hij even naar het grote schilderij boven de openhaard. Een jonge vrouw glimlacht hem toe, onder haar liggen verse bloemen. Ze heeft een hoedje op.

'Hoe oud ben je?' vraagt Ana hem.

'Negentien, mevrouw.'

'Bijna haar leeftijd. Zij is achttien, op dit schilderij.'

'Bent u dat?'

'Nee,' ze lacht. 'Mijn dochter. Maribel. Bijna vijfenveertig jaar geleden.'

'Mooi meisje,' zegt Miguel, met een lichte blos op de wangen. Hij draait zich weg naar de gang.

'Tot morgen,' zegt Ana.

HOOFDSTUK 9

Rafael Castillo keek op zijn horloge, het was tien voor elf. Om half zeven was hij met zijn ronde begonnen, hij was bijna klaar. De laatste brieven en pakketjes zou hij tot morgen bewaren, want hij wilde nu naar het vliegveld. Iets te vroeg, maar hij kon onmogelijk thuis gaan zitten wachten. Hij zou zich daar wel even omkleden, en om de hoek kon hij op de Avenida de América de bus naar Barajas nemen. Je wist het nooit met die vliegtuigen, misschien kwamen ze wel vroeger aan. Na vijf jaar mochten de meisjes niet in een lege aankomsthal arriveren.

Rafael had graag een zoontje gewild. Toen hun vierde kind wéér een dochter bleek te zijn moest hij wel even slikken. De meiden waren fantastisch, en van Teresa zou hij natuurlijk net zo veel gaan houden, maar één jongetje, alsjeblieft... Het was toch anders geweest. Vijf vrouwen in huis. Niemand om even een balletje mee te trappen. Of naar een wedstrijd te gaan kijken. Om stoere dingen te doen, mannendingen.

Een vierde kind. Misschien om het gemis van Josefa

en Esther te compenseren. Om Carmen een broertje of zusje te geven, in afwachting van de hereniging met de andere twee. Carmen wilde een zusje natuurlijk. Haar wens bleek het sterkst. Rafael had het er met Emilia over gehad. Een jongetje... Ze begreep het wel, voelde er zelf ook iets voor. Maar zij had geen voorkeur. Als het maar gezond ter wereld kwam. En ze hem of haar spoedig een ruimere woning konden bieden. De kamer in de Béjarstraat was te klein.

Ze kregen Teresa toen de fundamenten van de flatgebouwen in Colonia Margarita werden neergelegd. Ze wisten dat ze een kans op een van die woningen hadden: Rafael had er alle vertrouwen in. Ze verdienden het. Andere mensen ook, maar die hadden vast niet zo afgezien als zij. Een leven zonder je kleine kinderen houdt niemand vol.

Hij had het zichzelf aangedaan. Henzelf, want Emilia en de meisjes hadden er ook onder geleden. Hij was egoïstisch geweest, had hij later beseft. Toen niet. Toen, in 1953, dacht hij het voor het hele gezin te doen, naar Madrid vertrekken. Een goede baan, een inkomen voor de rest van zijn leven als ambtenaar. Een zonnige toekomst. Dat deed hij echt niet voor zichzelf alleen. Anders was hij toch gewoon in zijn eentje naar Madrid gegaan? Genieten van het leven in de grote stad. Zijn schoonvader, die er een tijdje had gewoond, had hem er enthousiaste verhalen over verteld.

Nee, Rafael wilde dat Emilia meekwam. Dit was ook voor haar, hield hij zich voor. Maar het was vooral voor hemzelf geweest. Hij zag zich niet daar alleen zitten, op een kamer in Madrid. Werken, koken, slapen. Nooit was hij ver van huis geweest. Madrid zag hij als een dreiging, anoniem en onbekend. In het dorp en in Pontevedra was alles altijd overzichtelijk. De straten, de huizen. Maar ook de mensen. Je had goeden en slechten, vrienden en vijanden, maar je wist in ieder geval wie wie was. Verhalen kwamen je snel ter ore. Je kon iemand op straat of in de bar om uitleg vragen. Niet dat iedereen dat deed. De mysterieuze stilte van een dorp, het niet willen weten, werd ook vaak als een zware deken over heikele kwesties gelegd. Soms, pas na jaren, tilde iemand de deken weer op en begon alles wat daaronder lag te borrelen en te gisten. Ook dat was een dorp. Maar je wist in ieder geval welke problemen er waren. Wie ging hem de weg in de stad wijzen? En niet zomaar een stad, maar de grootste van het land. Hoge flats, drukke straten, belachelijk veel auto's en scooters, zo veel mensen dat je erover struikelde, altijd gehaast. Politieagenten die je niet kende; toch anders dan de mannen van de Guardia Civil met wie hij in het centrum van Pontevedra of in de dorpskroeg van Carballedo een glaasje dronk. Rafael zou in Madrid een vreemde zijn en waarschijnlijk ook zo worden behandeld. Hij had een sterke Galicische tongval, een andere taal had hij nooit gesproken. Ze zouden direct weten waar hij vandaan kwam: uit een verre uithoek van het land waar iedereen arm en simpel was. Ze zouden hem willen bedriegen. Het eerste wat hij in Madrid zou doen was andere Galiciërs opzoeken, in een bar of zo. Maar allereerst moest hij er zijn weg vinden. En dat avontuur durfde hij niet alleen aan.

Met het hele gezin, dat kon ook niet. Emilia moest dus mee, maar wie nog meer? Of zonder de meisjes? Met wat hij in Madrid verwachtte was dat laatste misschien het beste: in het dorp zouden ze veiliger opgroeien. Maar als ze geen van de meiden meenamen, zou Emilia ook blijven. Er moesten twee achterblijven bij opa en oma; zij zouden hun ouders voorlopig niet meer zien en hadden dan tenminste elkaar. Maar welke twee? De twee oudsten, Carmen en Josefa? Of de twee jongsten, Josefa en Esther? Josefa in ieder geval, daar waren ze het wel over eens. Zij was de sterkste, de vrolijkste, zij zou de afwezigheid van haar ouders het best kunnen verdragen.

Vaak had Emilia hem gevraagd het eerst alleen te proberen. Als het Rafael niet zou bevallen, zou hij zo weer kunnen terugkeren naar Galicië, zonder al dat gereis op en neer met een heel gezin. De meisjes, zei ze, álle meisjes hadden haar nodig. Opa en oma waren lief, maar het was niet hetzelfde. Ongetwijfeld zouden ze er verwend worden, maar Emilia wilde geen van hen uit het oog verliezen om zich later geen verwijten te hoeven maken. Toch won haar rol als echtgenote het van die als moeder.

Rafael Castillo draaide zich op de hoek van de straat om. Hij liep naar de tramhalte. Hij moest eigenlijk nog vijf blokken doen, maar bewaarde de brieven voor morgen. Veel waren het er niet. Niemand zou merken dat ze een dag later in de bus lagen en zijn chef had hem toestemming gegeven. Een dag als deze, had de baas gezegd, deed zich maar één keer in je leven voor. Hij had ook een vrije dag kunnen opnemen, maar die wilde hij bewaren voor later, wanneer de meiden er zouden zijn. Misschien zouden ze een paar dagen wachten alvorens hen naar school te sturen. Hen eerst laten wennen aan de buurt, aan de mensen hier.

Uiteindelijk was Emilia akkoord gegaan. Met tegenzin. De jongste twee bleven achter maar maakten daar geen drama van. Ze waren er te jong voor. En ze dachten dat ze papa en mama weer snel zouden zien. Dat dachten papa en mama ook. Snel, misschien hooguit een jaar? Een eeuwigheid, op die leeftijd, maar te verdragen.

Er waren vijf jaar voorbijgegaan. Rafael had het idee dat Emilia hem dat altijd kwalijk zou nemen. De zwangerschap en de geboorte van Teresa verlegden haar gedachten een tijd, ze was volop met de kleinste bezig. Maar daarna begon het weer te knagen. Rafael wilde niet te veel laten merken van zijn kwellende gevoelens, vanaf de dag dat ze op de trein stapten en de wuivende meisjes langzaam uit zicht zagen verdwijnen. Hij wilde zich sterk houden. Hij wilde Emilia de indruk geven dat zijn beslissing de juiste was.

Vanmiddag zou alles vergeten zijn. Ze zouden deze vijf jaar in de vergetelheid storten en weer opnieuw beginnen. Met z'n zessen. Hij kon het moeilijk bevatten.

De trambel klingelde en voetgangers sprongen opzij. Elke dag was Madrid voller geworden. Telkens weer merkte hij dat het verkeer drukker was, zeker hier, in en rond Las Ventas, met zijn grote markt en op zondag de drukte van de stierenvechtarena. Mensen verdienden steeds meer geld, dat zag je aan hun auto's, pakken, stropdassen, hoeden en sigaren. Je zag het aan hun vrouwen, die met hun chique sjaaltjes in luxe cafés de middag verpoosden. De tegenstellingen werden steeds groter op straat. Rijen schoenenpoetsers op hun knieën voor mannen van stand die de poetsers geen woord waardig achtten. Gezinnen in gescheurde kleding die zich als paria's over straat bewogen en dicht bij de gevels bleven, alsof die hun enige beschutting tegen het leven boden. En daartussen arbeiders zoals hij, een keurige ambtenaar met een karig maar vast inkomen. Emilia had haar plaats hier gevonden, hij voelde zich nog altijd een passant.

In tram 12 naar Canillejas was het altijd vechten om een plaatsje. Rafael bleef met zijn voet op een trede aan de buitenkant van de deur hangen; de hele rit lang, want bijna alle arbeiders en huisvrouwen moesten net als hij bij de laatste haltes zijn. Onderweg was er niets; landbouwgronden en af en toe wat huizen, rechts in de verte het dorp San Blas. Rafael stapte uit op het keerpunt in Colonia Margarita en met hem gingen de laatste passagiers van boord. De afstand naar zijn werk was het enige nadeel van de verhuizing, de Béjarstraat was dichter bij Las Ventas geweest. Maar verder was dit het paradijs; de eigen woning, de aimabele buurtbewoners, alle kostwinners werkzaam bij de post, en merendeels immigranten.

Rafael Castillo liep met grote passen naar huis, begroette enkele voorbijgangers, liep de twee trappen op en mijmerde hoe de twee meiden het hier zouden vinden. In Pontevedra woonden ze bij opa en oma ook op een flat, dat zou niet veel verschil maken. Maar deze flat was gloednieuw, je kon het verse hout en de verf nog ruiken. Het stapelbed stond klaar en Carmen had wat poppen klaargelegd. Rafael deed zijn enige pak aan. Hij was nog nooit op het vliegveld geweest en wist niet hoe de mensen er daar bij liepen. En hij wilde er natuurlijk voor zijn dochters netjes uitzien. Hij kamde zijn haar, dat onder de postbodepet geplet was, waste zijn handen en gezicht en keek in de spiegel. Zouden de meisjes vinden dat hij oud was geworden? Hij voelde zich wel een stuk ouder, of hij niet vijf maar al vijftien jaar in Madrid woonde. Alsof hun afwezigheid hun hele jeugd had geduurd. Negen en tien jaar, hoe groot zouden ze zijn? Ja, iets kleiner dan Carmen vanzelfsprekend, maar onherkenbaar groter dan toen ze vier en vijf waren.

Rafael deed het licht in de badkamer uit en keek nog even om zich heen in huis. Emilia zou straks thuiskomen, er zou geen kussen scheef liggen en geen stoel schuin staan als hij met de meiden zou binnenwandelen. Met een zachte klik deed hij de voordeur achter zich dicht.

HOOFDSTUK 10

'Ik vlieg niet. Dit is gekkenwerk.'

We zitten met z'n vijven in een kleine kamer waar het eten zojuist is geserveerd. Kommen met Galicische soep en wat opgewarmde vis. Ik neem aan dat de lading die aan boord is gebracht een stuk smakelijker is. Het is een bijzondere vlucht, wat dat betreft. De feestdagen komen eraan; eerst volgende week al met de Onbevlekte Ontvangenis en daarna snel Kerstmis. De buik van onze Languedoc is volgeladen met garnalen, kreeften, eendenmossels, kokkels, zeebaars, tong... Alles wat je maar kunt bedenken van wat de Galicische vissers de laatste dagen uit zee hebben gehaald. Ze zijn de meesters van de visserij. En dit is hun gouden tijd; in december wordt per kilo het driedubbele voor hun waar betaald. Het gaat allemaal naar de centrale markt in Madrid. Aviaco is er blij mee, want er wordt goed aan verdiend. Vanochtend is er ook al een vrachtvliegtuig vertrokken. Wij zijn natuurlijk een stuk sneller dan een vrachtwagen of een trein. Beter voor de vis.

'En toch willen ze dat we gaan. Ze zijn knettergek.'

Commandant Calvo heeft amper oog voor het bord. En niet omdat, zoals bij mij, zijn maag van streek is. Zijn hele lichaam trilt, hij is bijna hysterisch. De rest houdt zich stil, gevangen in een staat van angst en ontzag.

Voordat Calvo van boord kwam heeft hij contact gehad met de verkeersleiding. En gezegd dat het niet verantwoord is, vandaag nog vliegen. Hij heeft de vlucht voorlopig uitgesteld. Het toestel heeft klappen gehad, de storm is nog niet geluwd, en het is koud geworden. Daar kunnen de Languedocs niet tegen. Pepe Calvo weet dat als geen ander.

'Ik heb ze verdomme zelf gekocht, vier van die toestellen. Van de Fransen, een paar jaar geleden. Het moest zo goedkoop mogelijk. De directeur van Aviaco ging met me mee, om zeker van de prijs te zijn. Ze hadden het besluit al genomen, ik moest slechts zeggen welke toestellen me het beste leken. Air France stootte de Languedocs af, ze hadden er weinig fiducie meer in. Kregen wij er negen voor een koopje, de andere vijf al in 1951. Want we hadden maar drie Bristols, en Aviaco had succes, dus de directie wilde groots uitbreiden. Maar die toestellen hadden een flinke opknapbeurt nodig, bijna allemaal... Nou ja, wat vertel ik voor nieuws, jullie weten het allemaal.'

Commandant Calvo spreekt meer tot zichzelf. Om zich ervan te overtuigen dat het echt niet kan, vandaag de lucht in. We zijn het met hem eens. Liever een dag later thuis dan helemaal nooit. We hebben al vaker problemen met een Languedoc gehad. Soms doet de verwarming het niet, maar dat is nog het minste. Het radiosignaal schijnt een groot probleem te zijn omdat het te vaak wegvalt; al heb ik dat zelf niet in de gaten, dat hoor ik meestal later.

In 1956 is een van de Languedocs neergestort, hebben ze me verteld. Op Tenerife. Het was een wonder dat de enige dode viel in het huis waarop het toestel terechtkwam. Een oud vrouwtje. Er was een elftal van voetbalclub Málaga aan boord. Iedereen kon ontsnappen voordat het vliegtuig in brand vloog.

De piloten hebben de Languedocs ook bijnamen gegeven, op grond van de registratienummers. Van de EC-ANF betekenen de laatste twee letters 'Niet Functioneren'. De EC-ANP heeft als bijnaam 'Niet Pluis'. En de EC-ANS is 'Niet Stijgen'. Wij hebben vandaag de EC-ANR, de 'Niet Rijden'.

'Ik doe het niet.' De herhaling verraadt iets van onzekerheid in de ferme stem van de commandant. Natuurlijk wil hij het niet doen, en kan hij op onze steun rekenen. Maar hoe groot zijn reputatie ook is binnen de luchtvaartmaatschappij, ook Calvo dient te gehoorzamen aan zijn superieuren. Hij is na het uitstellen van de vlucht gebeld door de directeur, die ook nog eens hier uit de buurt komt. Vroeger een hoge pief van het ministerie van Luchtvaart. Een militair. Kolonel. Een hogere rang dus dan Calvo. Dit is het leger. Een maatschappij beheerst door militairen. De onwrikbare hiërarchie in een fascistisch land. Op rebellie staat de doodstraf, of levenslang.

'Wat kunnen we doen?' vraagt copiloot José Nicolás.

'Niets,' zegt Calvo, terwijl hij toch maar van zijn soep begint te slurpen. 'Bevel is bevel.'

'Maar waarom dan?' vraag ik. 'De directeur ziet toch ook dat het noodweer is?'

'Weet je wat hij me zei?' Calvo kijkt boos op van zijn bord, ik schrik van zijn blik. 'Dat het toestel van Iberia net vertrokken is. En als Iberia vliegt, dan vliegen wij ook.'

'Maar dát is een DC-3,' zegt Enrique.

'Ja, en? Dat zal de directeur een zorg zijn. Of juist niet. We mogen vooral niet laten merken dat de Languedocs minder luchtwaardig zijn dan de DC-3's. Je weet het toch? Als een vliegtuig verongelukt is het altijd de schuld van de piloot. Altijd. Het heeft nooit aan het toestel gelegen, dat is heilig. Menselijke fouten, daarachter kunnen ze zich het gemakkelijkst verschuilen, niet achter een gebrek aan onderhoud of zoiets. M'n vriend Gil Yagüe, vorig jaar, weet je nog, Enrique?'

'In de Bristol, op Barajas.'

En Calvo vertelt het verhaal van zijn collega-piloot Gil Yagüe. De radio deed het weer eens niet, al was het geen Languedoc maar een Bristol die hij vloog. Het was druk met vliegtuigen rond Barajas en Gil moest laag gaan vliegen om het lichtsignaal vanuit de verkeerstoren te kunnen zien waarmee toestemming tot landen werd verleend. Ineens draaide het toestel een kwartslag, de vleugel naar beneden, en stortte het neer. Nog vóór de zevenendertig doden waren begraven werd binnen Aviaco de conclusie getrokken dat het een overduidelijke fout van de piloot was geweest. Voor de buitenwereld kreeg de piloot trouwens een grootse, patriottische begrafenis. Spaanse vlag over de kist. Een held. De schuld bij de piloot leggen schijnt ook een kwestie van verzekeringen te zijn: zo hoeft de maatschappij de families van de slachtoffers geen schadevergoeding te betalen, of minder. Calvo zelf heeft een rechtszaak tegen Aviaco aangespannen om de naam van zijn vriend gezuiverd te krijgen.

'Dus wie krijgt straks de schuld als het misgaat? De directeur toch echt niet,' mompelt Calvo. Langzaam lijkt hij erin te berusten.

'Bah, commandant, zeg dat nou niet. Het kan niet misgaan, toch?' vraag ik hem.

'Als het aan mij ligt niet, nee. Maar er spelen andere dingen. Kijk, meisje...'

Hij wordt vaderlijk nu. Een Spaanse man. Typisch een baas. Ook nog een militair natuurlijk. Ik houd me in en zeg niets, de sfeer is om te snijden. En zelf heb ik natuurlijk ook een knoop in mijn maag.

'De wind hier, de storm, dat is niet het grootste probleem,' gaat hij verder. 'Rond Madrid verwachten ze sneeuw vandaag. Dat betekent dat het in de lucht nog een stuk kouder is dan op de grond. Dat is het altijd, maar met zulk weer zijn de verschillen groot. Onder een bepaalde minimumtemperatuur werkt sommige apparatuur van de Languedocs slecht. En kunnen we ijsvorming op de vleugels krijgen. Dit toestel is daar niet op voorbereid. IJs op de vleugels werkt verlammend, een vliegtuig is geen pinguïn.'

'Maar die kunnen toch niet vliegen, pinguïns?' zegt José Nicolás.

We moeten allemaal lachen, ook Calvo. Een zweem van opluchting vult het zaaltje, de druk is van de ketel gehaald, maar de les van de commandant gaat door.

'We kunnen iets lager gaan vliegen dan niveau 95, maar dat is riskant. Vlak voor Madrid moeten we de bergen over. Het maakt niet uit of we dat oostelijker doen, over de Abantos, of westelijker, over De Dode Vrouw. Op beide routes moeten we, om de Sierra van Guadarrama over te geraken, naar de achtentwintighonderd meter die in principe onze kruishoogte voor de hele vlucht is. Ik vrees dat het extreem koud is op die hoogte.'

We kijken elkaar aan. En dan? Het is de vraag die iedereen op zijn lippen heeft liggen.

'En dat heeft u allemaal aan de directeur verteld?' durft José Nicolas te vragen.

'Ja, natuurlijk! Wat dacht je dan?'

De woede keert weer terug bij Calvo. De nijd van de machteloosheid, de kansloze strijd tegen de wetten van zijn eigen wereld. Weigert hij te vliegen, dan kan hij zijn carrière wel vergeten. En zullen er ongetwijfeld nog meer consequenties volgen. Hij is net veertig jaar, dus nog ver van zijn pensioen.

Daarom weet Calvo zelf ook wel dat hij zijn aanvankelijke weigering niet zal kunnen uitvoeren. 'Ik vlieg niet.' Hij zal vliegen, en wij met hem. Bijna was ik de landing van eerder vandaag al vergeten toen ik onder de passagiers was en hen geruststelde. Nu verplaats ik me weer naar dat zwabberende vliegtuig en vind ik de geur van de soep nog indringender en onsmakelijker dan enkele minuten geleden.

'Wat is de reden dat ze je verplichten te vliegen?' vraagt Pedro Sacristán. De radiotelegrafist bemoeit zich voor het eerst met het gesprek. Hij kent Calvo het best; hij heeft de storm eerst laten uitrazen. 'Is het om al die verse vis aan boord?'

'Nee, ze zeggen dat ze geen hotelkamers voor alle passagiers kunnen of willen betalen,' zegt Calvo. 'Alleen de markiezen en één andere reiziger komen uit Vigo en hebben hun huis hier in de buurt. De rest moet ergens worden ondergebracht. Dit traject heeft al te maken met onderbezetting, is niet rendabel. Jullie weten ook dat meestal maar een derde van de stoelen bezet is. De zestien passagiers van vandaag zijn er al veel. Aviaco was al een keer met deze verbinding gestopt. Wat wil je ook, het vliegveld van Santiago is vlakbij. Er is geen geld voor onvoorziene zaken. Gewoon vliegen dus. Zo eenvoudig is het.'

'Een neergestort vliegtuig is toch duurder dan een paar hotelkamers?' zegt Sacristán. Dit keer kan niemand lachen. Het blijft stil. De vis blijft bijna onaangeroerd.

'We vertrekken om half vier,' sluit Calvo de discussie af.

Ik moet zo terug naar de passagiers, hoe houd ik me rustig? Wat moet ik hun zeggen? Moet ik doen of er helemaal niets aan de hand is? Ja, natuurlijk, dat hoort erbij. Maar al die mensen die al behoorlijk angstig zijn...

'Dus de wind zal het probleem niet zijn?' vraag ik

Calvo. 'Ik bedoel, de passagiers, als die straks meemaken wat ons bij de landing overkwam...'

'Nee, er zal wel iets van turbulentie zijn; zorg dat ze de gordels stevig om hebben. Maar dat is het probleem niet, zoals ik al zei. Van dat andere, het ijs, zullen zij niets merken. Hoewel... als ik lager ga vliegen zullen we ook meer wind vangen.'

De commandant is tijdens het praten opgestaan, maar voordat hij het zaaltje verlaat draait hij zich om.

'Maribel, heb je een vel papier over?'

Ik geef hem een kopie van de passagierslijst. 'De achterkant is blanco.'

Calvo pakt een pen uit zijn borstzak en begint te schrijven. Grote letters, weinig woorden.

'Deze hang ik zo op in de wachtruimte. Ik vind dat de reizigers het moeten weten.'

Hij laat het ons een voor een lezen, niemand zegt wat.

DE COMMANDANT WAARSCHUWT VOOR SLECHT WEER ONDERWEG. U BENT VRIJ OM TE BESLISSEN OF U MEE WILT VLIEGEN.

HOOFDSTUK 11

Wanneer Ana Bernal kort na zes uur uit een diepe middagslaap wakker schrikt is het al bijna donker. Ze moet direct denken aan de jonge ober. Negentien jaar. Maribel was nooit met een vriendje thuisgekomen. Ze sprak weinig over jongens. Veel kende ze er niet. Ze ging naar een meisjesschool; gemengd onderwijs was door het regime verboden, ook op de middelbare school. Of júíst op de middelbare school. De kerk en de staat wilden de eerste amoureuze en misschien zelfs seksuele toenadering zo lang mogelijk uitstellen. Het zou alleen maar afleiden, slechte en verdorven mensen kweken. Na school was Maribel meestal thuis en wilde ze leren wat haar op school niet onderwezen werd. Josep María nam altijd boeken voor haar mee: encyclopedieën, Franse en Engelse lesboeken, literatuur. Ze was nieuwsgierig, maar niet speciaal naar de andere sekse; dat zou later wel komen. Maribel voelde zich gevangen in het onderwijs, zelfs van de lagere school kwam ze al verontwaardigd thuis als een lerares de meisjes weer eens op hun rol in de samenleving had gewezen. Alle lessen waren erop gericht hen voor te bereiden op hun toekomst als echtgenote en moeder achter het aanrecht, het fornuis en de kinderwagen. Het gezin als de onwrikbare pilaar van de samenleving, het fundament van de katholieke familie waarop de dictatuur was gebouwd. Maribel zag hoe haar moeder elke dag buiten de deur werkte; waarom zou zij dat niet kunnen?

Ana had het geluk dat ze in een ander tijdperk naar school was gegaan, ver voordat Franco de bisschoppen en priesters hun verstikkende deken over het onderwijs liet werpen. De verhuizing van Ana's ouders van het zuiden naar Barcelona bevorderde haar ontwikkeling nog meer. Natuurlijk had ze een typische vrouwenbaan, die van secretaresse, maar dat was al veel meer dan de meeste vrouwen hadden. 'Mama,' had Maribel eens gezegd, 'als ik later groot ben wil ik net zo worden als jij, maar dan anders.' Toen Ana haar vroeg naar dat 'anders', bleek Maribel niet iets specifieks voor ogen te hebben. 'Gewoon, anders.'

Later kwam ze erop terug. Dat het haar leuk leek te werken, maar niet elke dag op hetzelfde kantoor. Daarom leerde ze Frans en Engels, want daarmee had ze meer kans om te kunnen reizen, dacht ze. Ana vroeg haar waarheen. Dat wist ze niet. Ergens.

Over stewardess worden had Maribel het nooit. Het was ook niet een voor de hand liggend beroep. Hoe vroeg die wens ontsproot ontdekte Ana pas veel later, toen ze maanden na de dood van haar dochter het verdriet overwon en eindelijk Maribels bureaulades durfde te inspecteren. Ze vond een knipsel uit een tijdschrift. Een verhaal uit 1949 over de eerste stewardessen van Spanje, vier vrouwen die enkele jaren eerder de primeur hadden van een vlucht van Iberia naar Buenos Aires. Een nieuw beroep, voor weinig vrouwen weggelegd, zoiets stond erin. Maribel had namen onderstreept, van plaatsen waar het vliegtuig tussenstops moest maken en die indruk op de stewardessen hadden gemaakt. Villa Cisneros in de Spaanse Sahara, en Natal en Rio de Janeiro in Brazilië. Ze was negen jaar geweest toen ze dat tijdschrift had gelezen, en had het altijd bewaard.

Het ligt er nu nog steeds. In dezelfde la van hetzelfde bureau. Om de zoveel tijd kijkt Ana er nog eens in, maar minder vaak dan vroeger. Alles slijt, ook de behoefte het vroegere bestaan opnieuw te beleven of het leven te reconstrueren zonder het een nieuwe draai te kunnen geven. De leegte wordt langzaam gevuld, als een tergend trage zandloper die aan de onderkant nooit helemaal vol zal raken.

Soms vroeg Ana haar dochter weleens naar de jongens. Meer als een grap. Ze moest er zelf ook niet aan denken, dat Maribel al met een vent thuis zou komen. Ze was hun enige kind, dat ze niet snel uit handen zouden geven. Josep María zou dat al helemaal niet verdragen. Ze was zijn meisje, en hij was de enige man in haar leven. Hij beschermde haar en gaf haar alles wat ze in haar bescheidenheid vroeg. Ook hij zag haar niet achter een fornuis staan. Maar evenmin had hij vermoed wat ze in werkelijkheid begeerde: haar vlucht uit de bedompte stad.

De man die Maribel het hof wilde maken moest van goeden huize komen. Niet noodzakelijk uit een rijke familie, maar goed opgevoed, met respect voor de vrouw, wat in die tijd eerder uitzondering dan regel was. Maar ze leek er gewoon geen belangstelling voor te hebben. Die ging uit naar haar opleiding en, naar later zou blijken, haar droom om te vliegen. Daarbij kon ze zich de afleiding van jongens niet permitteren.

Ook niet van de knappe obers uit de bars. Restaurant Soley bestond al toen Maribel nog leefde. Toen gingen ze er eens in de maand op zaterdag eten, soms met z'n vieren – met Ana's moeder erbij –, af en toe met z'n vijven als haar vader aan wal was. En natuurlijk keken de obers naar dat jonge, mooie meisje met haar engelengezicht. Ongetwijfeld zagen ze haar elke dag voorbij zweven als ze van school kwam, op weg naar de zware deur waarachter ze zich de rest van de dag verschool. De obers waren luidruchtig als het gezin er zat te eten en ze probeerden met grapjes Maribels aandacht te trekken. Zij glimlachte dan vriendelijk en schonk hun af en toe een woord, maar zeker in het bijzijn van haar ouders leek ze te verlegen om op de avances in te gaan.

Daarom moet Ana Bernal nu aan de jonge ober Miguel denken. Een heel leven voor zich. Genoeg meisjes om uit te kiezen, het is een knappe jongen. Meiden die veel brutaler zijn dan vroeger. Nu zijn het soms de meisjes van de filmschool die expres voor Miguel komen en hém aan de bar verlegen maken. Om een afspraakje vragen of zeggen dat hij een lekker kontje heeft, luid hoorbaar voor iedereen. Eigenaar Germán sommeert hen soms naar buiten te gaan; zijn jongen moet werken. Hij doet het met een glimlach, en een knipoog naar Miguel.

Ana vraagt zich af hoe Maribel op Miguel zou hebben gereageerd. En andersom. Haar dochter zou nu tweeënzestig zijn geweest, maar dat kan Ana zich niet voorstellen. Ze is voor altijd achttien gebleven en is in vierenveertig jaar geen dag ouder geworden. Geen rimpels, geen grijze haren, geen fysiek ongemak. De eeuwige jeugd, verkregen op een ijskoude berg bij Madrid. Een bevroren leeftijd, de mooiste leeftijd. Achttien jaar. Klaar voor het leven, zonder te beseffen hoeveel tegenslagen dat soms te bieden heeft. Onbevlekt door tragedies. Zelfs liefdesverdriet, de ergste kwaal voor een tiener, had Maribel niet gekend. Ze was gelukkig. Niet meer, niet minder.

Ana Bernal staat op van haar leunstoel om in de keuken thee te zetten. Ze sloft door de gang; van buiten komt het geluid van de stad die weer op gang is gekomen en pas tegen negen uur tot rust zal komen. De Bailénstraat is een drukke straat geworden, in de loop der jaren. Regelmatig is het piepen van banden op het kruispunt met de Caspestraat te horen, gevolgd door een schreeuw of een vloek. Soms eindigt de piep in een knal. De kruispunten in de Eixamplewijk zijn goktafels waaraan bestuurders Russische roulette spelen. Soms gaat het pistool af en wordt een motorrijder met een deken bedekt.

Miguel vertrekt na zijn werk altijd op een kleine scooter. Hij is op een leeftijd dat er geen enkel besef van gevaar of risico is. Angsten bestaan niet. De jongelui steken een straat over zonder te kijken, altijd zijn ze in het hoofd met iets anders bezig. De wereld stopt voor hen, zij zullen niet voor de wereld stoppen. Onschuld en naïviteit die soms door een gebeurtenis plots verdwijnen, of anders geleidelijk oplossen. Een gezin om voor te zorgen, kinderen. Het cliché dat mannen voorzichtiger gaan rijden zodra ze vader zijn geworden.

Miguel is zo'n onbesuisde jongen, van de nogal onbeholpen manier waarop hij de borden op tafel neerzet tot hoe hij op zijn scooter wegrijdt, met een uitgestoken been door de bocht en dan ook nog om zich heen kijken of hij wel genoeg aandacht trekt. Typisch iets voor jongens, natuurlijk, maar de meisjes zijn ook steeds meer zo geworden.

Maribel was rustig, bedeesd, gelijkmatig. Geen uitspattingen. Misschien een woedeaanval thuis, als ze eens niet naar de film mocht met vriendinnen. Maar al snel daarna volgde de berusting, want meestal mocht ze wel. Door haar gedrag kreeg ze niet vaak een nee te horen. Een ideale dochter. Ze hielp in de keuken als ze tijd had, wilde rijst met kabeljauw leren bereiden. Ze was een snelle leerling, thuis en op school. Ana en Josep María hadden het er weleens over, ze probeerden krasjes op de ziel van hun dochter te ontdekken; maar hoe ze ook voorzichtig over het frêle voorkomen van Maribel schraapten, ze vonden niets.

Tot die dag dat ze verkondigde dat ze stewardess

wilde worden. Nooit had ze er met één woord over gerept.

'Mama, papa, ik heb een advertentie in de krant gezien,' zei ze bij het avondeten, in maart 1958, een maand nadat ze achttien was geworden. 'Er is een proeve om stewardess te worden, in Madrid. Voor vrouwen ouder dan achttien. Ik ga dat doen.'

Niet 'mag ik dat doen', de woorden die ze tot dan altijd had gebruikt. Mag ik naar de film, mag ik een glas water, mag ik morgen uitslapen, mag ik een keer mee naar je werk, mag ik huiswerk maken bij een vriendin. Nee. 'Ik ga dat doen.' Zelfs niet 'ik wil dat doen' of 'zou dat willen doen'. Ze ging het gewoon doen. Josep María proestte enkele kikkererwten uit. Terwijl Ana geen woord kon uitbrengen vroeg hij hoe ze daarbij was gekomen. 'Nou,' zei ze, 'de advertentie in de krant.' Ze was bijna klaar met school en wilde daarna graag gaan werken. Dit was de perfecte baan voor haar. Wat wilden papa en mama nog meer, een dochter die zelf geld zou verdienen. Ze zou dan ook thuis kostgeld gaan betalen, als het nodig was.

Nooit hadden ze haar zo zeker van iets gezien. Ze hadden geen idee dat ze dit plan al jaren aan het beramen was en had gewacht tot ze oud genoeg was om aan het examen te kunnen meedoen. Maribel zei dat haar Frans en Engels bijna vloeiend waren, en dat Aviaco op Marseille en Oran in Algerije vloog. Josep María protesteerde nog dat het allemaal militairen waren die de vliegtuigen bestuurden. Mannen van Franco. Had ze daar niet aan gedacht? 'Nee,' zei ze. Het maakte haar ook niet uit. Zij wilde stewardess worden en dat had helemaal niets met het leger te maken.

Het examen was eind april in Madrid. Enkele dagen ervoor stortte bij Barcelona een vliegtuig van Aviaco in zee. Iedereen aan boord kwam om het leven. Josep María was ziedend. Zijn dochter ging dat niet doen. Het was het zoveelste toestel dat uit de lucht viel. Zij was enig kind; dacht ze er wel aan wat het met haar ouders zou doen als zij in zo'n toestel zou zitten? 'Dat gaat niet gebeuren,' zei Maribel. Dat wisten ze toch? De vliegtuigen werden met de dag veiliger. Dit was de baan van haar leven. Ze zou met de trein naar Madrid gaan, beloofde ze.

Ana Bernal neemt een slokje van haar thee. Ze kijkt naar het schilderij van Maribel aan de muur. Ze moet denken aan Miguel, hoe die naar haar beeltenis keek. 'Bent u dat?' Ja, misschien is zij het ook wel.

HOOFDSTUK 12

Emilia Gesteira keek in de ochtendpauze naar de spelende meisjes op de binnenplaats van de school. Ze stond met haar bezem in de eetkamer van de nonnen, die vanaf de tweede verdieping uitkeek op de patio. Ze had de ramen opengezet en hoorde de hoge stemmen en gilletjes tegen de muren weerkaatsen. De meeste meisjes hadden tegen de kou hun rode vestje aangetrokken. Hun rokjes waren wit. Dat ze bij de Zwitserse nonnen op school zaten moest goed te zien zijn wanneer ze over straat liepen. Carmen zat op de overheidsschool; geld voor een privéschool als deze hadden ze niet. Ze zag Carmen ook niet zo snel in zo'n schooluniform lopen. Nu al helemaal niet meer, op haar twaalfde. Ze had iets rebels, zou het moeilijk hebben gehad bij de nonnen. Niet dat de openbare school een paradijs voor haar was, met vooral mannelijke meesters die net zo streng in de leer waren als de religieuzen.

Emilia zag de meisjes en dacht dat het lot gewild had dat zij juist hier werk had gevonden. Alsof ze zo elke dag haar eigen dochters in veelvoud terugzag. Alle meisjes hier waren tussen de zes en twaalf jaar, in elk van hen zag ze iets van Esther en Josefa terug. Elke dag weer. Het was haar boetedoening, en ze had er vrede mee. Dagelijks kon ze van dichtbij beleven hoe meisjes opgroeien.

Het schoonmaken op school was in de eerste plaats echter werk, niet meer dan dat. Een inkomen, hoe schaars ook, als extra aanvulling voor thuis. Van het inkomen van Rafael, zo'n veertig peseta's per dag, overleefden ze, van dat van haar legden ze elke week iets opzij voor de reis van de meiden, die ongeveer vijftienhonderd peseta's zou kosten. Tijdens de schooluren deed ze de kantoren en de nachtverblijven van de nonnen, na schooltijd de klaslokalen. De kinderen waren gelukkig netjes. Op maandag moest ze ook de kapel doen, na de missen in het weekeinde. De leerlingen kwamen dan op zaterdag of zondag met hun ouders, veel kinderen bereidden zich er voor op hun eerste communie.

Zelf was Emilia niet zo gelovig. Galicië was meer dan van God een streek van spoken, heksen en bijgeloof. De diepe, donkere en altijd vochtige bossen die de *meigas* herbergden, kwaadaardige heksen gestuurd door de duivel tegen wie de bewoners zich beschermden met ritsen knoflook aan de deur of heilige aarde afkomstig van de begraafplaatsen. Veel Galiciërs dachten dat God hen, hier aan het einde van de wereld, al lang geleden had verlaten, dus was er nauwelijks reden hem elke zondag op te zoeken. In Galicië overleefde je in de eenzame, verspreide dorpen niet door je geloof in God, maar door hard te werken op het land dat het hele jaar door overvloedig vanuit de wolken werd besproeid.

Emilia dacht niet dat haar geloof ineens zou terugkeren in Madrid, al was ze God dankbaar voor deze laatste weken, het nieuwe huis en de langverwachte hereniging met haar twee dochters.

Toen de meisjes hun springtouwtjes en tollen opborgen, de patio verlieten om hun klassen op te zoeken en de rust terugkeerde op de grote binnenplaats, wekte overste Matilde Emilia uit haar gedachten.

'Waar denk je aan, Emilia?' Matilde was een van de weinige werkelijk Zwitserse nonnen op de school; de meesten waren Spaanse vrouwen die bij de Zwitserse orde waren terechtgekomen, maar iedereen kende de school als De Zwitsersen.

'Wat denkt u? Meisjes. En vooral mijn meisjes, natuurlijk.'

Zuster Matilde vroeg of vandaag de dag gekomen was.

'Ja, Sor Matilde.'

'Hoe is het met hen?'

'Ik geloof wel goed. De dood van hun oma heeft hen aangegrepen, maar ze zijn sterk. Verder kan ik het natuurlijk niet precies weten,' vertelde Emilia.

'Is er goed voor ze gezorgd?'

'Ja, zeker. Mijn schoonouders zijn schatten van mensen. Maar voor mijn schoonvader alleen werd het nu een beetje te veel. De meiden worden ook steeds groter.'

'En hoe gaat het met jou?'

'Ik ben zenuwachtig. Al sinds ik ben opgestaan.'

'Dat is logisch. Maar verder, ben je gelukkig?'

'Dat zal ik vanmiddag zijn.'

De anders zo strenge overste omhelsde haar. Ze zou bidden voor de meisjes, voor de reis.

'Het zal wel een avontuur voor ze zijn,' zei Emilia.

'Hoe laat vertrekken ze?'

'Rond twaalf uur, als het goed is. Dan zijn ze om twee uur in Madrid.'

'Wil je naar het vliegveld? Ik vind dat prima.'

'Nee, Rafael gaat. Ik wacht thuis met Carmen en Teresa. Dank u wel.'

'Als je wilt kun je straks bellen met je schoonvader, of daar alles is goed gegaan.'

'Hij heeft geen telefoon. Alleen in de winkel op de hoek hebben ze een telefoon, dan roepen ze hem.'

'Dan doe je dat toch? Om een uur of één, als hij terug is?'

'Het zal wel iets later worden, het vliegveld van Vigo ligt niet zo dicht bij Pontevedra. Er zijn speciale bussen van Aviaco, maar ik weet niet hoe laat die gaan. Maakt u zich geen zorgen. Ik bel mijn schoonvader morgen wel, om te zeggen dat ze goed zijn aangekomen.'

'Wat jij wilt.'

'Ik wil ze vooral in mijn armen sluiten en nooit meer loslaten.'

Overste Matilde depte met een zakdoek een traan weg onder het linkeroog van Emilia. 'Ik zal niet vragen hoezeer je ze hebt gemist.'

'Ik weet niet of missen het goede woord is. Het was heel onwerkelijk. De meisjes waren niet dood, natuurlijk, en ook niet vermist. We wisten precies waar ze waren, en dat ze het goed hadden. Maar we konden niet bij ze komen. Alsof ik ze aan de overkant van een rivier zag staan, maar er was geen brug en geen boot. Ik keek naar ze en zag ze groeien, maar ik kon zelfs niet naar ze roepen, want ze hoorden me niet. Het was te ver weg. Elke dag, echt elke dag stond ik aan de oever van die rivier, en elke dag zag ik ook hen staan, aan de overkant. Altijd verschenen ze wanneer ik het wilde. Maar om een of andere reden vervaagde het beeld steeds meer. De foto's die hun opa stuurde toonden hun verandering en heel af en toe kon ik hun stem aan de telefoon horen, maar dat was lang niet voldoende. Ik miste het aanraken, het kammen van hun haar, de kus bij het slapengaan. Een stem over de telefoon is niet hetzelfde als een hand om vast te pakken. Af en toe wilde een van de twee zelfs niet aan de telefoon komen, wat opa ook smeekte. Ik heb altijd gedacht dat het hun manier was om hun boosheid te uiten. Of om ons duidelijk te maken dat we hen snel naar Madrid moesten halen. Al denk ik niet dat meisjes van die leeftijd al zulke ideeën hebben. Ik weet het niet, ik ken ze eigenlijk nauwelijks. Een meisje van tien is heel anders dan een van vijf, en een van negen heeft nog minder gemeen met eentje van vier... Dat is mijn grote vraag ook, mijn twijfel, mijn angst voor vanmiddag. Hoe zullen ze zijn? Hoe zullen ze op ons reageren? Misschien gaan ze hun opa heel erg missen. Sinds kort geen oma meer, en nu ook opa ver weg. Ze zullen toch meer van hem houden dan van ons, van Rafael en mij. Ik weet het niet, ik weet niet wat de afstand, wat vijf jaar scheiding met kinderen doet. Ik weet wat het met mij heeft gedaan. Ik ben geen dag volledig gelukkig geweest, er is geen avond voorbijgegaan dat ik in bed voor het slapengaan niet aan hen heb gedacht. Als ik al in slaap kon vallen. Ik kon lopen deze vijf jaar, en zien en horen, en hier schoonmaken, en toch heb ik al die tijd twee ledematen of organen gemist, als een invalide. Als ik er nu aan denk begrijp ik niet hoe ik dit heb kunnen doorstaan. Waarom ik bijvoorbeeld nooit het gespaarde geld heb gepakt en de bus naar Pontevedra heb genomen...'

'Ja, waarom eigenlijk niet?'

'Omdat we dat ene, veel hogere doel hadden. Ze allebei hiernaartoe halen, zo snel mogelijk. Als ik een deel van dat geld zou hebben uitgegeven voor een reis, dan hadden we nog veel langer moeten wachten op hun komst. Dat dachten we. Misschien was het anders gegaan en waren ze toch wel gekomen, over de weg desnoods. Ik weet het niet. Ik weet zo veel niet. Ik wil me ook niet te veel meer pijnigen met wat ik allemaal fout heb gedaan, vanaf de dag dat ik ze achterliet op het station in Galicië.'

'Maar je hebt altijd evenveel van ze gehouden.'

'Ja, natuurlijk.'

'Dat is het belangrijkste. En zij zijn net zo van jullie blijven houden.'

'Ik denk dat ik zelfs meer van hen ben gaan houden. Om de pijn te verlichten, om de wroeging weg te drukken. Met liefde. Maar tegelijkertijd kon ik hun die liefde niet tonen. Misschien raakten zij ervan overtuigd dat we nooit van hen hebben gehouden, dat we hen daarom hebben verlaten.'

De overste wreef zacht over de schouder van Emilia. 'Zo zou je niet moeten denken. Kinderen zijn onvoorwaardelijk in hun liefde, die nog niet is verpest door andere zaken. Voor hen ben jij hun moeder, dat zul je altijd blijven. Die band is niet te verwoesten. Jij hebt hen gebaard, alleen jij. Tijd of afstand laten dat gevoel niet verdwijnen. Misschien dat er een deukje in komt, maar bij een hereniging is die schade zo weer hersteld. Zeker zolang zij weten dat de scheiding niet uit kwade wil is voortgekomen. Als ze iets groter zijn, zullen de meisjes beseffen dat het een consequentie van deze tijd is geweest, van de armoede, de grote afstanden. En eenmaal hier zullen ze ook ontdekken dat jij en je man óók een offer hebben gebracht. Dat jullie dit hebben gedaan om ze een betere toekomst te gunnen in een stad waar zij later, als jonge vrouwen, waarschijnlijk meer kansen hebben een goede echtgenoot te ontmoeten en hun eigen gezin te stichten.'

Of te studeren en een leuke baan te vinden, dacht Emilia, maar ze zei het niet. Het was een Zwitserse orde, de nonnen waren minstens zo conservatief als de Spaanse. 'Bedankt voor uw woorden, overste,' zei Emilia. 'Ik hoop dat het zo zal zijn als u gezegd heeft.'

'Weet je?' begon zuster Matilde. 'Ik vind dat je toch naar het vliegveld moet gaan. Hier om de hoek rijdt de bus naar Barajas; er is geen halte maar hij stopt als je hem een teken geeft. Wij passen wel op Teresa. Hoe laat komt je oudste thuis?'

'Vijf uur.'

'Mooi, dan zijn jullie weer terug. Kom Teresa dan maar ophalen.'

HOOFDSTUK 13

Luide stemmen weerklinken in de wachtruimte van het vliegveld Peinador in Vigo. Passagiers en familieleden hebben zich verzameld rond het prikbord waar Pepe Calvo zijn handgeschreven bericht heeft opgehangen. De stem van de markiezin overstijgt alles, ze schreeuwt zelfs tegen haar man. Alleen de twee zusjes zijn blijven zitten op hun stoelen. Ze zijn al negen en tien, maar hun poppen betoveren hen nog altijd. De commandant zelf is weer vertrokken, de markiezin heeft hij vooraf even apart genomen. Daarna heeft hij ook de rest van de passagiers laten weten dat vliegen veilig is, maar dat het op bepaalde momenten minder aangenaam kan zijn, zoals bij het opstijgen en later boven de bergen bij Madrid. Over de vrieskou en de apparatuur heeft hij niets gezegd. Noch dat hij onder protest vliegt. Bij de maatschappij weten ze het, dat is voldoende. Het helpt alleen niets. En het is zuur dat het juist Calvo overkomt. Hij was al gestopt met vliegen, een paar weken geleden. Met al zijn ervaring wilde hij zich volledig wijden aan het opleiden van nieuwe piloten. Dit soort korte binnenlandse routes konden hem niet meer boeien. Alleen zijn verantwoordelijkheidsgevoel bracht hem er vanochtend toe onze absente piloot te vervangen. Calvo vindt dat je passagiers niet op de grond kunt laten staan. Een reis heeft altijd een belangrijk motief. Twee of drie dagen wachten op de volgende vlucht, daarmee kun je een baan verliezen, te laat bij je stervende vader zijn, of de verbinding naar een ver oord of een mooie toekomst missen. Dat Calvo nu deze terugvlucht het liefst zou uitstellen zegt veel over zijn gedachten over de miserabele omstandigheden onderweg, anders zou hij er niet over peinzen zestien passagiers een dag te laten wachten. Zoals Ángel Martínez Seijas uit Madrid. Zijn vrouw staat op het punt van bevallen, heeft hij me verteld. Ze heeft hem gevraagd alsjeblieft niet met het vliegtuig te komen. Hij kan echter niet wachten en zou het zichzelf niet vergeven als hij niet bij haar is tijdens de geboorte van hun kind.

Ángel Murcia is naast me komen staan, samen met zijn Chileense vriend. 'Ik moet vanmiddag door naar Barcelona, gaan we dat nog redden?' vraagt hij me.

'Hoe laat is je vlucht?'

'Om zes uur.'

'Ja, dat kan net, als we om half vier vertrekken. Ze wachten dan wel op je.'

'Maar dat bedoel ik niet,' zegt Ángel. 'Ik bedoel: komen we ooit wel in Madrid aan?'

Ik ben er even stil van. Hij is kalm en kijkt net als

ik van een afstand het rumoer aan, naar de passagiers die elkaar ophitsen of juist gerust proberen te stellen. Zijn vraag priemt door mijn zacht geworden pantser. Ik aarzel even, stotter bijna.

'Ja, ja, natuurlijk. Anders zou de commandant niet de lucht in gaan.'

'Maar die waarschuwing dan?'

'Hij wil dat elke passagier voor zichzelf beslist, dat kan hij niet voor jullie doen. We vliegen, maar prettig zullen we het onderweg niet hebben.'

'Ik ga mee, zo heb ik er wel meer meegemaakt. In de straffe zeewind landen op de grasbaan van Mallorca, dat is geen pretje, met een vleugel die de grond eerder dreigt te raken dan de wielen.'

Ik voel hoe het dilemma zich in mijn hoofd nestelt. Moet ik de passagiers de waarheid vertellen? Als niemand aan boord wil, hoeven wij ook niet te vliegen. Leeg laat de Aviaco-directeur ons niet vertrekken, denk ik. Maar het zal me waarschijnlijk mijn baan kosten. Snel zal iedereen weten wie de passagiers heeft ontraden te reizen. Ik wil dit werk blijven doen. Het is het mooiste wat me in mijn leven is overkomen. Ik was nog een jong meisje op de lagere school toen ik dit beroep ontdekte. Het stond in een tijdschrift, een interview met de vier eerste stewardessen van Iberia die vertelden hoe avontuurlijk het vak was. Ze reisden, zagen plaatsen waarvan ze nooit hadden gedacht dat ze die zouden zien en vertelden over hun lange gesprekken met passagiers, omdat ze vaak urenlang samen optrokken, ook op binnenlandse vluchten met tussenstops. Toen zij begonnen, in 1945 of 1946, was er geen examen; de jonge vrouwen moesten het liefst uit de hoge lagen van de maatschappij komen, vreemde talen spreken en niet bang zijn om te vliegen. Ik ben maar een meisje uit een middenklassegezin. Dat is mijn enige twijfel geweest, of ze me daarom wel zouden aannemen. Maar Aviaco is niet zo elitair als Iberia, dat heeft me geholpen. Het is altijd het ondeugende kleine broertje geweest, eentje die tegen de schenen van Iberia schopte. Eigenwijzer, avontuurlijker. Aviaco vliegt vaak als eerste een bepaalde route, een soort verkenning of die wel rendabel kan zijn en of de omstandigheden – het weer, het nieuwe vliegveld – acceptabel zijn. Werkt het, dan vliegt Iberia ook op die route. Er gaat nu het gerucht dat Iberia ons wil overnemen. Misschien heb ik dan meer kans om voor Iberia te werken. Dat ga ik niet allemaal nu op het spel zetten. Bovendien, als Calvo vliegt dan moet hij wel weten dat we geen extreem risico lopen. Hij gaat zichzelf en ons niet de dood in jagen alleen maar omdat hij de orders van bovenaf moet opvolgen. We zijn niet meer in oorlog.

'Ik vlieg ook mee,' zegt Manuel Ignacio Tagle, de Chileen. 'Ik denk niet dat een vlucht kan overtreffen wat ik op de Atlantische Oceaan heb meegemaakt. Zo'n enorm schip, overgeleverd aan de genadeloze macht van twintig meter hoge golven. Iedereen was doodziek en er waren gewonden aan boord door schuivende tafels, vallende borden en schilderijen. Een hele nacht heeft de kapitein tegen de zee gevochten, er kwam geen einde aan. Ik zat in mijn hut en zag de vloer een muur worden en de muur een plafond. Steeds maar weer. Ik heb daar de dood gezien en ik denk niet dat ik die vandaag nog eens ga tegenkomen. De zee is machtiger, gewelddadiger dan de lucht.'

'Ja, maar vliegen is minstens zo onnatuurlijk. De zwaartekracht, weet je,' zegt Ángel.

'Varen op zo'n groot schip is ook tegen de natuurwetten in,' vervolgt Tagle. 'Een stuk hout dobbert op het water, een klein sloepje ook nog wel. Maar dat ze zo'n belachelijk grote veerboot drijvende kunnen houden, dat is toch niet normaal? Kijk maar naar de Titanic.'

'Ja, maar die zonk na de botsing met een ijsberg.'

'Een ijsberg, een rots, een storm, een hoge golf, het maakt niet uit. De zee zal altijd sterker dan de mens zijn. Soms legt hij een valstrik, zoals een ijsberg. Zo'n overtocht blijft een loterij.'

'Een reis door de lucht ook,' zegt Murcia, terwijl hij zich naar mij draait. 'Misschien hebben we lotnummer dertien vandaag. Maar als jij onze stewardess bent en Calvo de piloot, dan ga ik zeker aan boord.'

Het rumoer om ons heen is niet afgenomen. Ik moet de passagiers tot kalmte manen, want ik moet optekenen wie er uiteindelijk wel of niet meegaat. Maar ik laat ze liever uit zichzelf tot bedaren komen. En ik heb ook niet zo'n stevige stem. Van de complimenten die ik krijg is een van de meest gehoorde dat ik passagiers met zo'n zachte, rustgevende stem toespreek. Dat hebben ze nodig. Vliegen lijkt leuk, ik geniet ervan, maar voor mensen die het voor het eerst doen is het een wandeling over een smal en hoog muurtje, met aan de ene kant de angst te vallen en aan de andere kant het idee iets moedigs te doen wat veel anderen nooit hebben gedaan. Aanvankelijk is de angst groter; die zie ik al in hun ogen in de wachtruimtes. Alsof ze in de wachtkamer bij de tandarts zitten. Of erger. De korte wandeling naar het vliegtuig voelen velen als de laatste passen naar het schavot, de paar treden naar de deur van het vliegtuig leiden naar de strop waaraan ze binnen enkele minuten zullen hangen. Er zijn passagiers die omdraaien, of die met de hand nog even de aarde aanraken; driekwart slaat een kruisje en kijkt de hemel in, alsof ze toestemming vragen om zo dicht bij God te komen. Ik sta boven aan de kleine trap, wijs ze hun plaats, en denk dat sommigen me zien als Petrus aan de hemelpoort, of me beschouwen als de engel die hen vanaf nu zal vergezellen. Het geeft me wel een plezierig gevoel. Altijd heb ik moeten gehoorzamen, thuis en vooral op school. Nooit werd ik door de onderwijzers serieus genomen, in hun wereld van strenge hiërarchie waren de leerlingen – en vooral wij, de meisjes – onmondige wezens die dom gehouden moesten worden. Elk spoor van intellect, opstandigheid of gebrek aan respect voor hun autoriteit werd bestraft met een gevoelige tik van het rietje op de vingertoppen, net onder de nagelriem. De pijn kondigde zich al vooraf aan, omdat je wist wat er ging komen. Maar ze hebben me er niet onder kunnen krijgen, en ook niet achter het fornuis. Ik sta in de deur van een vliegtuig en ontferm me over de passagiers, maar zonder die hoogmoed waar anderen zo van houden. Ik voel me een herder van een gehoorzame kudde schapen die me met grote bruine ogen aankijken en gedwee wachten tot ik hen naar een groenere weide aan de andere kant van de berg heb geloodst. Ik ben een gids, verpleegster, moeder en psychologe tegelijk, en ik geniet ervan. Stewardess is de mooiste baan ter wereld, al word ik vandaag wel op de proef gesteld. Ik moet deze mensen stil en rustig en aan boord krijgen.

'Sorry, sorry,' roep ik. 'Mensen, alstublieft.' Niemand hoort me, want ik word overstemd door de markiezin.

'Zal ik even?' vraagt Ángel Murcia.

Ik knik, hij fluit schel op zijn vingers en iedereen draait onze kant op. 'Dank je wel,' zeg ik hem.

'Ik ga nu noteren wie definitief aan boord gaan,' spreek ik de groep toe. Er is even geroezemoes, maar een passagier van middelbare leeftijd maant de rest tot stilte. Ik ga door. 'We vertrekken over een halfuur. Commandant Calvo heeft dat briefje opgehangen omdat er altijd mensen zijn die hem achteraf, na de landing, verwijten dat hij hun weleens had mogen informeren over de turbulentie, want ze hadden moeten overgeven en vliegen was niet zo romantisch als ze zich hadden voorgesteld. Soms kan hij echt niet weten hoe een vlucht zal verlopen, maar met het aangekondigde herfst- én winterweer boven Madrid kan hij dit keer op de feiten vooruitlopen en u waarschuwen. De vlucht is veilig, dat kan ik u garanderen, anders zouden wijzelf natuurlijk ook niet aan boord gaan, maar we kunnen windstoten verwachten, dat is het enige.'

'En die duwen ons zo naar de grond?' De markiezin weer.

'Nee, mevrouw. Nu we de weersverwachting kennen, zal commandant Calvo de best mogelijke route kiezen. Als we een klein stukje moeten omvliegen, dan zullen we dat doen. Ik raad u aan gewoon te reizen. Over de weg deze dagen is al helemaal geen genot, het sneeuwt op de hoogvlakte en vanaf Valladolid is het nog slechter weer dan hier.'

Soms verzin ik maar wat. Ik voel het niet als een leugen, het is mijn taak de mensen met vertrouwen in het vliegtuig te krijgen. Degene die echt niet wil, gaat niet, maar meestal is een achteloos argument voldoende om hen over de streep te krijgen.

De markies neemt het voortouw. 'Pepe Calvo is een vriend van me. Als er één piloot is die ons veilig naar Madrid kan brengen, dan is hij het. Anders moeten we tot maandag wachten, en welke piloot dan vliegt weten we niet. Ik ga aan boord en mijn vrouw gaat mee.'

De markiezin kijkt hem met een woeste blik aan. Hij is de baas. Waarschijnlijk mag ze die titel dragen omdat ze met hem getrouwd is, niet andersom. Ze beent zonder haar gebruikelijke elegantie naar haar plek in de wachtruimte bij de koffers.

De man van middelbare leeftijd die eerder de groep tot rust maande, stapt ook naar voren. Hij was vroeger burgemeester van Sanxenxo, vertelde een van de passagiers me. Ik kijk even op mijn lijst. José Pita Durán, achtenvijftig jaar.

'Juffrouw, dank voor uw geruststellende woorden. Ik denk dat we met z'n allen gerust naar Madrid kunnen vliegen.'

Een voor een beginnen ze voor me langs te schuifelen, ik hoef niemand weg te strepen. Als laatste de opa van de twee zusjes. 'Ik kan niks meer doen,' zegt hij. 'Ik kan ook niet overleggen met mijn zoon. Hij zal daar staan te wachten en zal het niet begrijpen als zijn dochters niet aan boord blijken te zijn. Ik vraag u slechts goed voor de meisjes te zorgen.'

Hij geeft me een kus op de wang, omhelst me zacht en loopt naar de zusjes die nog steeds met hun poppen aan het spelen zijn.

HOOFDSTUK 14

Mercedes had afgebeld, ze moest plots met haar moeder naar het ziekenhuis. Dus had Ana Bernal het restaurant gebeld, deze zaterdag, om haar door een ober te laten ophalen. En opnieuw was bij toeval Miguel gekomen. Hij had zich weer even naar het schilderij gedraaid. Maribel keek altijd een beetje afwezig, dromerig.

'En waar is uw dochter nu?' had Miguel gevraagd. 'Komt zij u nooit ophalen? Ik geloof niet dat ik haar in het restaurant heb gezien. Hoewel, ze is in de zestig nu, zei u. Dan herken ik haar natuurlijk niet.'

'Nee, je hebt haar niet gezien,' had Ana gezegd. 'Breng je me straks ook weer thuis? Als je dan even tijd hebt, vertel ik je een verhaal. Het verhaal van Maribel.'

'Na het werk?' Miguel aarzelde heel even. 'Is goed. Ik hoef pas om zeven uur weer voor het avondeten aan de slag.'

En nu zit de jonge ober hier, op de bank, ietsje lager dan Ana op haar stoel. Het is half vijf. Ana had aan haar tafeltje gewacht tot Miguel helemaal klaar was. Vandaag had ze kip uit de oven gegeten. Geen voorgerecht. Ze had minder honger.

Haar maag trekt altijd dicht als de verjaardag van Maribel nadert. Ze kan het niet voorkomen, het is de jaarlijkse reactie van het lichaam dat de sterke geest voor 25 februari wil waarschuwen.

'Heb je tijd?' vraagt ze hem nogmaals.

'Ja, señora Ana. Ik hoef alleen maar even naar huis voor een schoon overhemd voor ik weer aan het werk ga. En op de scooter ben ik zo heen en weer.'

'Je moet wat voorzichtiger rijden, jongen. Ik zie je weleens wegrijden, als een acrobaat.'

'Ik rij al sinds mijn dertiende op een brommer en daarna op deze scooter, mevrouw. Hij is één met mijn lichaam. Er is ons nooit iets overkomen.'

'Maar de eerste keer kan tegelijk de laatste zijn. Weet je hoeveel motorrijders elk jaar in Barcelona verongelukken?'

'Ja, ik zie het vaak gebeuren, op de kruising. Daarom rijd ik ook nooit door rood, of trek ik niet te vroeg op bij het stoplicht. Maar het is niet altijd onze schuld, hè? Heeft u die automobilisten weleens gezien?'

'Laat maar,' zegt Ana. 'Ik wilde je alleen maar waarschuwen.'

Ze kijkt Miguel aan, hij verkeert op die ondefinieerbare grens van jeugd en volwassenheid, een uitgestrekte vlakte waar sommigen verdwalen omdat ze niet weten waarheen ze moeten of willen gaan. Maribel was de grens snel en vastberaden overgestoken.

'Ik zeg het je ook om een andere reden,' gaat Ana verder. 'Maribel, mijn dochter, die van het schilderij, is overleden toen ze achttien was. Op jouw leeftijd.'

'O, sorry mevrouw. Gecondoleerd.'

'Dank je, maar dat hoeft niet. Het is al zo lang geleden.'

'Een ongeluk met een motor?'

'Nee, dat niet. Het is een lang verhaal.'

'Een triest verhaal?' Miguels gezicht verraadt ineens ongemak, bij het vooruitzicht naar een lang en droevig relaas van een oude dame te moeten luisteren.

'Soms. Maar ook wel een mooi verhaal. Een verhaal over het leven, over een droom. Wil jij altijd ober blijven?'

'Oef, dat weet ik niet. Ik denk het niet.'

'Wilde je het wel altijd worden?'

'Nee, dat is niet iets waar je aan denkt. Maar via mijn oom kon ik bij Soley werken. Ik was op mijn zestiende klaar met school, ik heb niet gestudeerd en nu verdien ik al geld. Zo kan ik mijn ouders helpen en zelf soms leuke dingen doen. Misschien begin ik zelf ooit een bar of een restaurant, ik weet het niet.'

'Waar woon je?'

'In Poblenou. Vijf minuten op de motor. Dicht bij het kerkhof en de zee.'

'Maribel wist al op haar negende dat ze stewardess wilde worden.'

'Ja, net zoals alle meisjes.'

'Nee, toen was het een heel andere tijd, toen was het helemaal niet normaal om stewardess te worden. Dat beroep bestond maar net.'

'Over wanneer heeft u het?'

'Nou, ze zou maandag tweeënzestig worden, reken maar uit.'

'Is ze in 1940 geboren?'

'Ja, goed gerekend.'

'Toen waren mijn ouders niet eens geboren. Ik geloof dat mijn oma van 1934 is. Zó lang geleden?'

'Ja. Dat zei ik je al. Je hoeft me niet te condoleren, want je kunt de dood van iemand niet je hele leven met je meedragen. Of dat wel, maar niet erom rouwen, dat wil ik zeggen. Condoleren hoort bij de rouwperiode, die je vroeg of laat moet afsluiten.'

'Ik weet het niet. Ik woon naast de begraafplaats, maar ben er al jaren niet meer geweest. Vroeger speelden we er, met vriendjes. Ligt uw dochter daar ook begraven?'

'Poblenou? Nee, ze ligt op de Montjuïc, halverwege de berg. Een mooie plaats, met zicht op zee.'

'Sinds haar achttiende?'

'Ja, zo zou je het wel kunnen zeggen, ja.'

'Wat is haar overkomen?'

'Dat is het verhaal. Wil je iets drinken?'

'Nee, dank u wel.'

Ana Bernal gaat rechtop zitten, ze heeft de steun van het kussen niet nodig. Even kijkt ze naar het schilderij, dan weer naar Miguel.

'Maribel wist dus al op jonge leeftijd dat ze stewardess wilde worden. Pas kort na de oorlog kwamen er voor het eerst stewardessen aan boord van de vliegtuigen. Er waren er nog maar een paar. Het was haar droom, direct nadat ze achttien was geworden solliciteerde ze naar de baan, bij Aviaco.'

'Aviaco?'

'Ja, een maatschappij van hier, in Spanje. Ze bestaat sinds drie jaar niet meer, het is nu allemaal Iberia. Ze werd direct aangenomen, als jong meisje. Wij vonden het niet leuk, haar vader en ik, want vliegtuigen vielen vaak uit de lucht, en ze zou veel minder thuis zijn. Maar het was haar droom, die mochten wij niet verstoren. En ze vond het prachtig, elke reis weer. Ze kon er mooi over vertellen, over de mensen aan boord, over de piloten, over haar belevenissen in andere steden. Ze was de gelukkigste vrouw van de wereld. Stewardess zijn was ook echt iets bijzonders, alle buren en vrienden van ons keken met bewondering tegen haar op. En haar neefjes en nichtjes. Het was anders dan het nu is. Heb je weleens gevlogen?'

'Nee, nog nooit. We gaan altijd met de auto op vakantie naar het dorp van mijn ouders, in Extremadura.'

'Nu is een stewardess net zoiets als jij bent, een ober maar dan in de lucht. Met een klein keukentje en een smal gangpad om in te werken en soms passagiers die vervelend zijn of hautain doen. Het aanzien van de stewardess is niet hetzelfde meer. Ik denk niet dat ze het werk zelf nu zo leuk vinden; het zal ze meer te doen zijn om de steden en landen waar ze terechtkomen. Vliegtuigen gaan veel verder dan toen, naar exotischer plaatsen ook. Maribel vloog alleen in Spanje. Misschien zou ze later naar Frankrijk of België gaan, als ze wat meer ervaring had. Of naar New York, dat was haar grootste wens. Zij voelde zich niet een serveerster, dat wás ze ook niet. Ze gaf de mensen wel te drinken en soms iets te eten, maar ze werd vooral gezien als een steun en toeverlaat van de passagiers, iemand met gezag aan boord, aan wie je alles kon vragen en vertellen. Veel mensen vlogen voor het eerst, weet je, en dan was zij er om hen gerust te stellen. Stewardessen waren vrouwen met prestige. Maribel werd na een vlucht door elke passagier persoonlijk bedankt, soms kreeg ze zelfs een presentje. Regelmatige reizigers vroegen bij het kopen van de tickets of zij hun stewardess zou zijn, zo vertelden mensen van de maatschappij haar.'

Ana Bernal gaat opnieuw verzitten. Miguel zit licht voorovergebogen op de bank en luistert aandachtig. Af en toe kijkt ook hij op naar het schilderij.

'Dit was het werk dat mijn dochter de rest van haar leven zou gaan doen. Ze wist het zeker. En ze had nog gelijk ook, helaas. Ze kreeg geen tijd iets anders te doen. Nog geen zes maanden heeft ze gevlogen. Het was 1958, verder een nietszeggend jaar. Ik kan me er niet veel van herinneren. Voor ons, mijn man en ik, was 't het jaar van Maribel. Ik denk soms dat de uitdrukking dat een kind zijn vleugels uitslaat van ons komt. Nadat duidelijk was dat we haar niet konden tegenhouden, hebben we geprobeerd haar vreugde zo veel mogelijk met haar te delen. In het voorjaar van 1959 zou ik een keertje met haar meegaan, naar Madrid. Of naar Zuid-Spanje, maar daar vloog Aviaco niet zo veel op. De regering accepteerde dat die maatschappij met Iberia ging concurreren, op voorwaarde dat ze zich vooral op het natte noorden concentreerde. Het weer was daar altijd slechter, zelfs in de zomer. Maribel had er nooit last van, zei ze; soms wat turbulentie, dat was alles. De eeuwige regen deerde het vliegtuig niet. Op de dag van haar laatste telefoontje was het hondenweer. Dat wist ik niet, ze zei dat het een feilloze vlucht was geweest naar Vigo. Later hoorden we wat er werkelijk was gebeurd; dat ze zelfs naar Santiago hadden moeten uitwijken. Dat de piloot die dag eigenlijk niet meer naar Madrid had willen vliegen. Een grondstewardess verklaarde dat hij in de wachtruimte in Vigo een handgeschreven briefje had opgehangen om de passagiers voor het slechte weer te waarschuwen.'

'En hij ging tóch de lucht in?'

'Ja. Hij moest. Hij werd door de bazen verplicht. Het waren allemaal militairen, dan moest je wel gehoorzamen.'

'Uw dochter ook?'

'Nee, ha. Vrouwelijke militairen? Ben je gek. Dat bestond niet. Zeker niet in dit achterlijke, onderdrukte en vrouwonvriendelijke land. Alle piloten en technici waren militairen, de stewardessen niet. Al zagen ze er in hun lelijke winteruniformen wel als strenge sergeants uit. Maribel hoefde helemaal geen opleiding te doen. Ze werd direct aangenomen, omdat ze sympathiek en knap was, goede manieren had en naast het Spaans ook Engels en Frans sprak. Dat was voldoende.'

'Nou, da's al heel veel. Ik kan geen Frans of Engels,' onderbreekt Miguel.

'Ook geen Engels?'

'Nee, de lessen op school waren waardeloos. En ik heb er geen talent voor, geloof ik.'

'Maar als er toeristen in de bar komen?'

'Die heb je hier weinig. Heel soms, en dan moeten zij maar Spaans kennen, toch? Zij zijn de gasten, zij moeten zich aanpassen.'

'Het zou mooi zijn als je mensen in hun eigen taal kunt aanspreken, Miguel. En je leert heel veel van andere talen. Maribel las boeken in het Engels die ze van haar vader kreeg en die door de censuur niet in het Spaans mochten worden vertaald. Ze vond het prachtig iets te doen wat eigenlijk verboden was. En zolang het dingen waren zoals een mooi boek lezen, hadden wij daar natuurlijk geen problemen mee. Maar ze leerde die talen vooral omdat ze al zo jong wist dat ze stewardess wilde worden.'

'Wat gebeurde er die dag?'

'Die piloot, Pepe Calvo, werd dus verplicht te vliegen. Het was niet eens zijn dag om te vliegen, hij was de baas van de Aviaco-piloten, hij verving er een die niet was komen opdagen. Ook dat hoorde ik later, van zijn dochter. Maribel had me daar niets van gezegd. Volgens mij verzweeg ze veel dingen om me niet ongerust te maken. Want soms wist ik echt wel of het ergens slecht weer was. Ik vroeg er ook maar niet naar. Elke maand stortten er wel een of twee vliegtuigen neer. En niet alleen in verre landen of van vreemde maatschappijen, maar ook Amerikaanse toestellen, een Brits en een Nederlands vliegtuig. Altijd als ik zo'n bericht las kreeg ik een vreemd gevoel in mijn maag, alsof je verliefd bent maar dan anders; onaangename rupsen in plaats van vrolijke vlinders. Ik vroeg Maribel er nooit naar, of ze het gelezen had... Ze was er niet mee bezig. Ze was zoals jij op je scooter nu, het gevoel voor gevaar kende ze niet. Tijdens dat laatste telefoontje klonk ze ook heel rustig. Dat was wel knap van haar, je hoorde nooit of ze bezorgd was. Dat was ook moeilijk geweest, want de verbinding kraakte altijd enorm, maar toch... Nooit kreeg ik het idee dat ze een vlucht met tegenzin uitvoerde of zojuist een problematische landing had meegemaakt.'

'Wat gebeurde er?' Het geduld van Miguel wordt door de aanloop op de proef gesteld. Hij wil naar de kern, het geheim achter het schilderij.

'Wat er gebeurde? Dat vliegtuig had nooit mogen opstijgen. Te gevaarlijk. En de piloot voorvoelde dat. Of wíst het. Hij was enorm ervaren, de beste die er was. Maar ze probeerden in het onderzoeksrapport hem mooi de schuld te geven. Ik heb het bewaard. Wacht, dan zal ik het je laten zien.'

Ana staat langzaam op. Miguel wil haar bijstaan maar het is niet nodig. Ze schuifelt door de lange gang naar een kamer achter in de flat. Halverwege draait ze zich om.

'Miguel, wil je nu misschien toch een kopje thee?'

'Ja, dat is goed, mevrouw.'

HOOFDSTUK 15

Het was op het vliegveld drukker dan bij de halte van de tram naar Canillejas. Rafael Castillo zocht zijn weg in het kleine, overvolle gebouw waar mensen over hun eigen koffers struikelden. Bijna alle mannen liepen in lange winterjassen en met een hoed op. Ook hadden de meesten een stropdas om. Barajas leek de slordige versie van een chique wijk in Madrid. Als ongeduldige mieren krioelden ze langs balies, tussen tafels door en naar rijen stoelen bij de ramen. Het was half twee, Rafael had er langer over gedaan dan hij verwacht had. Hij zocht, licht in paniek, de balie van Aviaco. Misschien was het toestel al geland en stonden de meisjes ergens op hem te wachten. Als niemand ze maar had meegenomen. De stewardess zou voor hen zorgen, maar voor hoelang? Hij had geen idee waar hij heen moest; dit was een overbevolkt doolhof en door zijn staat van onrust zou hij makkelijk kunnen verdwalen. Een gewapende militair wees hem naar een balie aan de overkant van de zaal. Er stond groot AyC boven, en daaronder AVIACIÓN Y COMERCIO. Pas onder aan het bord stond, in het klein, AVIACO. Hij vroeg de vrouw achter de balie naar de vlucht uit Vigo. Die zou om twee uur landen, zei ze. Ze verwees hem naar een hoek van de zaal waar de passagiers van nationale vluchten arriveerden.

Ondanks het feit dat er nog bijna een halfuur te gaan was, haastte Rafael zich naar de plek die ze hem had gewezen. Misschien wist die vrouw de tijd ook niet precies en waren ze er al. Groepjes mensen kwamen met tassen de hal binnen. Rafael keek snel rond en zag een soldaat met een geweer bij de deur. Er stonden ook andere mensen te wachten.

'Weet u of dit de vlucht uit Vigo is?' vroeg hij aan een man met een sigaar.

'Geen idee, meneer. Ik wacht op iemand uit Sevilla.'

Rafael schoot een van de reizigers aan die van buiten kwam. 'Komt u uit Vigo, meneer?'

'Nee, van Mallorca, ziet u dat dan niet?' De man toonde hem de twee *ensaimadas* die hij in de typische achthoekige dozen bij zich had. 'Mijn vrouw en kinderen houden van deze taart; als ik dit niet bij me zou hebben word ik thuis niet binnengelaten,' lachte de reiziger.

Rafael Castillo zag meer mensen met die dozen. Hij vroeg niet opnieuw waar ze vandaan kwamen en besloot te wachten. Hoe zou hij reizigers uit Vigo kunnen herkennen? Ja, het gezicht van Galiciërs. De blozende wangen. Misschien zaten er wel meer bekenden op de vlucht.

Het werd even rustig, tot er na tien minuten een

bus voorreed en er een nieuwe groep mensen binnenkwam. De man met sigaar die hij eerder had aangesproken begroette een ongeveer even oude man met een stevige hand. Het vliegtuig uit Sevilla. Toch kon Rafael het niet nalaten het aan een van de passagiers te vragen, een elegante vrouw die onrustig om zich heen stond te kijken.

'Komt u uit Vigo, mevrouw?'

'Nee,' zei ze droog. 'Sevilla. Bent u mijn taxichauffeur?' Rafael antwoordde dat hij postbode was. 'Daar heb ik niets aan.' Ze liep door.

Het werd rustig bij de deuren. Etenstijd, dacht Rafael, dan zouden er wel minder vliegtuigen arriveren.

Enkele meters verderop blikte een man op zijn horloge. Rafael keek af en toe in zijn richting, en elke keer was er die geheven pols en de steeds ongeduldiger houding van de man, die zijn hoed in de andere hand hield. Uiteindelijk liep Rafael op hem af.

'Wacht u ook op het toestel uit Vigo?'

'Ja. Hij zou elk moment hier moeten zijn, maar ik heb nog niets zien landen.' De man wees naar buiten, naar rechts. Er stond een groot vliegtuig klaar om op te stijgen. TWA stond er op de achtervleugel. 'Die gaat naar Manilla.'

'Manilla?'

'Ja, de Filipijnen.'

'Dat is ver.'

'Dagen vliegen, denk ik. Veel tussenstops,' zei de man, zonder Rafael aan te kijken.

'Vanuit Vigo zijn er geen tussenstops...' Rafael twijfelde even of dat inderdaad zo was.

'Nee, dat hoop ik niet. Maar met dit weer...' Het was gaan regenen, de wind was krachtiger geworden; Rafael zag het aan de strakke Spaanse vlaggen die buiten op hoge stokken stonden.

'U denkt toch niet...?'

'Nee, Vigo-Madrid is maar een stukje. En er is ook geen geschikt vliegveld onderweg voor een tussenstop.'

'U wacht op...?' Rafael zag in het gesprek met de onbekende een gelegenheid de tijd te doden en de zenuwen om de tuin te leiden.

De man keek hem eindelijk aan. 'Mijn zwager en schoonzus. De markiezen van Leis. Morgen vieren mijn vrouw en ik ons zilveren huwelijksfeest, vijfentwintig jaar samen. Rafael Juanes, aangenaam. Ingenieur. Ik ben getrouwd met de zus van de markiezin.'

'Ik heet ook Rafael, Rafael Castillo. Ik werk voor de post.'

'En op wie wacht u?'

'Twee van mijn dochtertjes. Ze zijn negen en tien jaar.'

'Reizen ze met hun moeder?'

'Nee, alleen. We hebben ze vijf jaar niet gezien. Het werk, weet u? We konden ze niet meenemen naar Madrid.'

'Ah. Ja, dat begrijp ik.' De ingenieur keek weer naar buiten. 'Nee,' zei hij na een tijdje. 'Eigenlijk begrijp ik dat niet. Vijf jaar zonder uw kinderen? Wie doet zoiets zichzelf aan? Zijn eigen kinderen... Mijn vrouw kan niet eens twee maanden zonder haar zuster.'

Rafael Castillo wist niet wat hij moest zeggen. Een onbekende las hem de les, met een aanval uit onverwachte hoek, een rechtse directe op zijn toch al gevoelige kaak. Een ingenieur. Een groot huis ergens in het centrum van Madrid. Wachtend op mensen van adel. Rafael kende de markiezen van Leis; de familie had altijd een paleisje met hectares grond aan de rand van Pontevedra gehad. De bezittingen waren door de jeugdbeweging van Franco in beslag genomen, die had er een prachtig sportcomplex gebouwd, met een atletiekbaan en voetbalvelden. Hij wist niet waar de markiezen daarna waren terechtgekomen. De adel bewoonde een andere, vreemde wereld.

Rafael wilde zich niet eens verdedigen. Elk antwoord zou door deze man laatdunkend worden weggezet, het had geen zin zijn beslissing van vijf jaar geleden uit te leggen. Zelf had hij altijd zijn twijfels gehad. Hij stond niet sterk voor een onmogelijke discussie; de eerste woorden van de man hadden hem al doen wankelen.

'Ze zijn bij mijn ouders in goede handen geweest.' Meer zei hij niet. De ingenieur leek ook niet geïnteresseerd in een verder gesprek. Hij schudde slechts nadrukkelijk met zijn hoofd.

'Rafa, Rafa!'

Beide mannen keken om bij het horen van de vrouwenstem, die het geroezemoes van het vliegveld oversteeg. Het was Emilia.

'Mijn vrouw,' zei Rafael Castillo.

Tussen de mannen in hun lange jassen leek ze nog kleiner dan ze al was. Een fragiele verschijning op een hectische locatie die hun vreemd was. Beiden op een vliegveld... ze waren er zelfs nooit in de buurt geweest, ook niet in Galicië. Toen Emilia als klein meisje met haar geëmigreerde ouders uit Cuba terugkeerde, kon dat alleen per boot. Nu was er zelfs een vlucht vanuit Madrid naar Havana. Met een vliegtuig in twee dagen waar het schip weken over deed. Onvoorstelbaar voor een arbeidersgezin als dat van hen, voor wie La Coruña al te ver weg was geweest. Misschien zouden Josefa en Esther in de toekomst vaker vliegen, als alles zo snel bleef veranderen. Mits ze er ooit het geld voor zouden hebben. In Madrid, dacht Rafael, hadden ze daar in ieder geval meer kans op.

'Wat doe jij hier?' vroeg hij zijn vrouw toen ze voor hem stond.

'Zuster Matilde liet me gaan, ze zei dat ik hier moest zijn, zodat de meisjes ook míj zien staan als ze aankomen.'

'En Teresa?'

'De nonnen passen op haar tot we terug zijn. Is het vliegtuig al gearriveerd?'

'Nee, nog niets te zien. Er staan hier meer mensen te wachten.'

'Gelukkig, ik was bang dat ik te laat zou zijn. Hoe laat worden ze verwacht?'

'Nu. Om twee uur zou het toestel er moeten zijn.'

'Het waait hard buiten,' zei Emilia terwijl ze haar haar schikte.

‘Ja, ik zag het aan de vlaggen. Vanochtend begon het al.’

‘En het is ineens kouder geworden. Hier binnen is het niet veel warmer.’

‘Nee, daarom houden de mannen ook allemaal hun hoed op.’

‘Het zijn bijna allemaal mannen hier. Wat zie jij er trouwens netjes uit. Je trouwpak.’

‘Voor de meisjes,’ antwoordde Rafael.

‘En ik dan? Moet je zien hoe ik eruitzie.’

‘Gewoon, prima toch? Je hebt je schort gelukkig op de school gelaten.’

‘Ik ben direct daarvandaan gekomen, de bus stopte om de hoek.’

‘Ja, nog een geluk dat we aan deze kant van de stad wonen.’

Emilia pakte Rafael bij de arm en schurkte tegen hem aan. Hij keek verbaasd op haar neer. Ze hadden elkaar net zonder kus begroet. Het harde leven had de genegenheid verdreven, er was een voortdurende vermoeidheid voor in de plaats gekomen, een moment van rust was er bijna nooit in huis. Dat zou er vanaf nu nog minder zijn, maar dat deerde niet. Doodmoe vielen ze beiden elke avond in bed; als de wekker afliep was het alsof de nacht maar een halfuurtje had geduurd. Slechts in het weekeinde kregen ze een beetje rust, al moesten beiden soms op zaterdag werken.

Buiten hoorden ze het gebrom van vliegtuigpropellers aanzwellen. Zo’n vijftig meter voor hen parkeerde een toestel van Iberia. Een trap werd naar de deur achter de vleugel gereden, waarna een stewardess opendeed. Half gebukt kwamen de passagiers uit het toestel, een hoed werd door de wind meegenomen. Een jongen bij een bagagekar raapte hem op en gaf hem terug aan zijn eigenaar.

'Weer niet,' zei Rafael. 'Iberia.'

'Zijn er hier mensen die op passagiers van Aviaco uit Vigo wachten?' Een man in een blauw pak van de maatschappij stond in de deuropening. Rafael en Emilia zeiden tegelijk ja, de ingenieur stak zijn hand op en ze hoorden nog meer mensen instemmend roepen. 'Het spijt ons, maar u zult nog enkele uren moeten wachten. Het toestel heeft vertraging opgelopen en zal zeker niet vóór drie uur uit Vigo vertrekken. Aan de balie zullen we u dan informeren over de verwachte aankomsttijd.'

Emilia keek Rafael aan. 'Dan zijn ze pas om vijf uur hier,' zei ze. 'Dat is te laat voor mij. Zo lang kan ik Teresa niet bij de nonnen laten.'

Besluiteloos stonden ze met hangende schouders naast elkaar. Het mooiste moment van hun leven werd uitgesteld. Even had het geleken alsof ze het konden delen, om er samen later nog vaak aan terug te denken. Nog drie uur wachten. Niets in vergelijking met vijf jaar. Een eeuwigheid op een middag als deze.

'Ga maar naar huis,' zei Rafael. 'Ik wacht hier wel. De meisjes zullen het begrijpen.'

HOOFDSTUK 16

Pepe Calvo heeft de Languedoc zo dicht mogelijk bij de terminal geparkeerd om de passagiers te behoeden voor de regen. De linkervleugel raakt net niet de grote ramen van het gebouw. In het schemerduister van de brakke dag ziet het toestel er spookachtig uit. Dreigend ook, met zijn spitse neus die hooghartig de gesloten, donkergrijze lucht in steekt. Ik zie achter de raampjes het silhouet van Calvo, gebogen over het instrumentenbord. De vier motoren draaien; de propellers willen de lucht al opzoeken. Naar achteren toe wordt het toestel steeds slanker en zakt het richting de grond; het achterwiel is maar klein. Er is een trapje van slechts zes treden om aan boord te gaan. De blauwe kleuren van de maatschappij vervagen achter de regensluier; op de dubbele staart licht het rood en geel van de Spaanse vlag op. Een modieuze combinatie is het niet, dat blauw van Aviaco met de kleuren van Spanje.

Iedereen staat al bij de deur. Ik ga als eerste naar buiten. Onder de vleugel probeer ik voor de regen te schuilen, maar de wind zwiept het water in mijn gezicht. Ik heb mijn regenjas aan, de paraplu klap ik niet uit; hij zou worden weggeblazen. In het vliegtuig doe ik een laatste inspectie, maar ik weet al dat ik alles na de heftige heenreis goed heb opgeruimd. Een stevige klus was dat deze keer, met zo veel misselijke mensen aan boord. Nu is die zure geur verdwenen. Vanuit de deuropening geef ik een sein aan het grondpersoneel dat de passagiers aan boord kunnen, de twee kleine meisjes het eerst. Hun opa vergezelt hen tot onder aan de trap; hij moet hun een haastige kus geven om de rest van de passagiers niet op te houden. Niemand wil drijfnat het vliegtuig in.

Hand in hand lopen de zusjes de trap op, in hun vrije hand ieder een pop. 'Kijk opa staan, zwaai nog een keer naar hem,' zeg ik tegen hen. De oudste blaast hem een handkusje toe dat in het gekletter van de regen drijfnat de oude man bereikt. De opa probeert te lachen, maar ik zie dat het hem nauwelijks lukt. Ik zou de meisjes graag aan de linkerkant laten zitten zodat ze hun opa kunnen zien, maar daar staat maar één stoel per rij. Ik laat ze liever samen vliegen, in twee stoelen aan de rechterkant op de laatste rij, dicht bij mij.

Na hen zoeken de andere passagiers hun plaats op. Ondanks de regen zijn ze niet ongeduldig, alsof ze hun komst aan boord zo lang mogelijk willen uitstellen. Ik heb hen achter de zusjes in de terminal op volgorde geposteerd; de markiezen, die op de eerste rij zullen zitten, vooraan. Als de markiezin aan boord gaat en ik haar wederom welkom heet kan er nog steeds geen lachje af. De markies geeft haar een voorzichtig duwtje tegen de forse billen en hij knipoogt naar me. Verder reist iedereen alleen. Omdat het toestel slechts half gevuld is kunnen ze allen alleen zitten, als ze willen. Ángel Murcia uit Barcelona en Manuel Ignacio Tagle uit Chili zijn al bijna vrienden geworden en kiezen ervoor naast elkaar aan beide zijden van het gangpad te zitten, in de rij voor de zusjes. Tagle heeft me beloofd dat hij een oogje op de meisjes zal houden als ik voorin aan het werk ben. Ik vrees dat de markiezin mijn aandacht zal opeisen. Pepe Calvo heeft haar gevraagd of ze straks een kijkje in de cockpit wil nemen, maar dat aanbod heeft ze afgeslagen. Ze vliegt weleens met haar man, zei ze, dus ze weet hoe het werkt. Dan weet ze meer dan ik.

Het is bijna half vier. Ik trek de deur dicht, het geraas van de regen sluit ik buiten; dat van de vier motoren is indringender, terwijl ze nog lang niet op volle toeren draaien. Ik loop naar de cockpit, alle vier de mannen zijn druk bezig. Ik vraag of ze iets te eten of te drinken willen. Ze schudden hun hoofden, de ogen blijven gericht op de panelen.

'De gordels goed vast, iedereen,' zegt de commandant zonder op te kijken.

Ik begin aan mijn korte tocht door het gangpad, tien rijen stoelen, om iedereen aan de stoelriem te herinneren. Slechts de meer ervaren reizigers hebben hem al om.

De jonge koopvaardijpiloot Javier Caparrini heb ik ook op de eerste rij gezet. Hij was al in de terminal in gesprek geraakt met de markiezen, maar dat is niet de reden. Stel dat commandant Calvo iets overkomt, dan is er een extra piloot in de buurt.

Achter hem zit meneer Pita Durán, de oud-burgemeester. Hij kent de markiezen goed. Vanaf zijn stoel kan ook hij, als hij zich een beetje vooroverbuigt, praten met de markies, die aan het gangpad is gaan zitten. De markiezin kijkt naar buiten, naar de lage heuvels achter het vliegveld en de groene bosjes en weilanden, die vandaag grijs en zwart zijn. Op rij drie zit een goed geklede, ogenschijnlijk rijke ondernemer. Hij heeft een zware Baskische ondertoon, maar zijn achternamen, Quesada Barrio, zijn niet typisch Baskisch. Achter hem zit de enige vrouwelijke reizigster naast de markiezin en de zusjes, mevrouw Rosa María Martínez uit Valencia. Ik heb haar nog niet echt gesproken. Twee mannen uit Murcia en Pontevedra zitten aan beide zijden van het gangpad op rij vijf, een Madrileense meneer alleen achter hen. Meneer Priego, uit Vigo, wilde per se op rij zeven zitten, naast zijn voetbalheld. Aan de andere kant van het gangpad is Ramiro Paredes op de stoel bij het raam gaan zitten; hij lijkt nog even geen zin te hebben in een gesprek met een bewonderaar en kijkt naar buiten.

'Weet u,' zei Priego in de terminal tegen me, 'Ramiro Paredes was tot de oorlog voetballer van Celta de Vigo. U was denk ik nog niet geboren. 'Pareditas' noemden we hem. Daarna had hij jarenlang een bar in het centrum, samen met onze Hongaarse doelman, Gyula Alberty. Alle supporters kwamen daar wat drinken, het was een soort clublokaal voor ons. En nou stap ik samen met Pareditas aan boord van een vliegtuig. Mag ik naast hem zitten? Mooie herinneringen ophalen.'

Rij acht is voor meneer Martínez Seijas, de man uit Madrid wiens vrouw op het punt van bevallen staat. Zo kan hij straks als een van de eersten het vliegtuig uit. Net als voetballer Paredes en de jonge Ángel Murcia trouwens; misschien halen zij het vliegtuig naar Barcelona nog. Als we nu snel opstijgen zal dat geen probleem zijn. De zusjes zullen met mij als laatsten van boord gaan; het spijt me voor de ouders, maar twee, drie minuten extra wachten zal na vijf jaar nog wel erbij kunnen.

Esther en Josefa hebben de poppen op hun stoel gelegd. Ze zitten op hun knieën en kijken over de rijen stoelen om zich heen.

'Nu moeten jullie goed gaan zitten,' zeg ik, 'want iedereen moet deze riem om.'

'De hele tijd?' vraagt de oudste, die ik aan het gangpad heb gezet. Ze hebben geen ruzie gemaakt over een plaatsje aan het raam. Straks mag Josefa wel op de stoel aan de andere kant van het gangpad gaan zitten, dan kan ze ook naar buiten kijken.

'Nee,' antwoord ik terwijl ik haar gordel vastgesp, 'alleen wanneer we opstijgen. Als we in de lucht zijn mag je hem losmaken.' Ik zeg maar niets over de verwachte turbulentie of harde wind. Voor hen is dit een avontuur, misschien vinden ze een beetje beweging zelfs leuk.

Ik loop terug naar de cockpit, licht gebukt zoals altijd. In het midden kan ik net rechtop staan, maar het dak loopt boven de stoelen snel rond af. Ruimere toestellen hebben we niet. De Bristol is even groot, de De Havilland Heron zo klein dat er geen stewardess meereist. De eerste keer voelde ik me als in de grote rollende ton op het attractiepark van Tibidabo, hoog boven Barcelona, waarin je al lopend je evenwicht moet zien te bewaren. Na enkele tientallen vluchten steun ik minder vaak met mijn handen op de hoofdleuningen dan in het begin; mijn voeten hebben de goede positie gevonden. Veel steun heb ik niet aan mijn kleine voeten, maar ik ben redelijk slank en licht, en kan mijn lichaam goed in balans houden. Ik raak nog nauwelijks de armen, ellebogen of uitgestoken voeten van passagiers. Soms voel ik me op het korte loopje door het toestel een wiegende buikdanseres, al probeer ik die bewegingen niet te overdrijven. Elegant, dat is een van de eerste woorden die ik bij het toelatingsexamen te lezen kreeg. Of ik mezelf elegant genoeg vond om stewardess te kunnen zijn.

Thuis bestaat het woord niet. Althans, we hebben er andere woorden voor. Elegant is iets voor de rijken. Net als chic. En deftig. Dat zijn we thuis nooit geweest. Papa heeft elke dag voor zijn werk een keurig pak aan. Dat is het woord, keurig. Mama is dat ook. Keurig, netjes. Goed verzorgd. Maar elegant, nee, zo heb ik haar nooit gezien. Als ze een bijzondere jurk aandoet, dan vind ik haar vooral heel mooi.

Nu moest ik antwoorden of ik mezelf elegant genoeg vond. En waarom ik dat vond. Ik schreef maar iets op. Dat elegantie niet alleen met kleding, maar ook met goede manieren te maken heeft. Dat we als stewardess allemaal hetzelfde uniform dragen, dus dat de elegantie vooral uit onze houding moet blijken. Ik schreef dat ik een keurige opvoeding had genoten.

Ze vonden me héél elegant, zeiden de bazen toen ze me aannamen. Naast drie mannen was er één oudere stewardess bij aanwezig toen ze me hun beslissing meedeelden. Op dezelfde middag, na het examen. Thuis zocht ik het woord 'elegant' direct op in het woordenboek, om te zien wat het nou precies betekende. Bevallig, stond er, maar dat klinkt toch veel minder chic. Goede smaak, aangenaam, verfijning... Ik las dat het uit het Latijn kwam, van *eligere*. En dat betekende weer kiezen, uitverkoren. Dat voel ik me eigenlijk meer dan elegant: uitverkoren. Elegant zijn zo veel vrouwen, stewardess zijn er heel erg weinig. Ik ben er één van, ik ben uitverkoren. En nog altijd zweef ik op geluk sinds die dag; daarom kan ik ook mijn evenwicht goed bewaren in het vliegtuig. Ik loop niet, ik zweef, en raak de grond nauwelijks aan.

'Alles in orde, commandant,' zeg ik als ik bij de cockpit kom. 'Iedereen zit vast.'

Pepe Calvo draait zich langzaam om. 'Als je voelt dat we rustig vliegen kunnen ze hun riemen losmaken, maar het liefst heb ik ze vast zitten. Geen idee wat we onderweg kunnen verwachten. Boven deze lage, loodzware wolken zal het wel wat rustiger worden, denk ik.

De kou zal het grootste probleem zijn, geef ze allemaal maar een deken straks.'

'Dat had ik me al voorgenomen.'

'Goed zo. Verder niets. Sluit de deur, alsjeblieft, het zal de eerste minuten hectisch zijn hierbinnen. En ga zelf ook goed zitten. Goede vlucht.'

'U hetzelfde. En jullie allemaal.' Ze kijken me alle vier even aan, zonder hun gebruikelijke glimlach. De mannen zijn in volle concentratie. Ze hebben vanochtend al beleefd wat ons zo nog eens te wachten staat. Ik sluit de deur achter me, draai me om en tover weer een glimlach op mijn gezicht. Eén man zit een krant te lezen, de rest van de passagiers kijkt me aan.

'Alles in orde, juffrouw?' vraagt de markies me.

'Ja, meneer Pardo de Castro. Commandant Calvo zegt dat we er klaar voor zijn.' Ik richt me ook tot de overige passagiers. 'Als we door het wolkendek gaan zal het vliegtuig een beetje schommelen. Zodra het daarboven rustiger wordt kunnen we de gordels losmaken, maar veiliger is het ze om te houden. Ik zit achterin en kan u allemaal goed zien en horen, voor als u mij nodig heeft. Tijdens het opstijgen kan en mag ook ik niet opstaan. Ik wens u, namens commandant Calvo, de rest van de bemanning én Aviaco een goede reis. We verwachten binnen twee uur in Madrid te landen.'

Ik krijg een zacht applaus van de passagiers. De markiezin kijkt me aan en steekt beleefd haar gehandschoende hand half in de lucht. 'Dank u wel,' zegt ze. 'U bent zo rustig, ik vertrouw erop dat dat geen toneelspel is.'

HOOFDSTUK 17

Ana Bernal legt twee fotoalbums op een tafeltje naast haar stoel voordat ze in de keuken kokend water in een theepot giet. Miguel kijkt naar de albums, maar laat ze onberoerd. 'Ik zal ze je zo laten zien,' zegt Ana als ze met een dienblad komt aanschuifelen. Miguel staat op om haar te helpen, ze zegt dat het niet nodig is. Voorzichtig zet ze het blad op een ander tafeltje, tussen hun tweeën in. 'Maar eerst dat andere. Het rapport. Ik kreeg het ooit van mevrouw Lourdes, de dochter van de piloot. Zij was nog een klein meisje toen haar vader nooit meer terugkeerde van deze laatste vlucht. Suiker?'

Miguel schept zelf twee lepeltjes suiker in zijn kopje. Ana Bernal opent een van de albums en haalt er een stapeltje vastgeniete kopieën uit. De vervaagde letters zijn van een oude typemachine. Ze doet het brilletje op dat aan een dunne gouden ketting voor haar borst hangt. 'Kijk,' zegt ze, en ze houdt Miguel de eerste pagina voor. *Algemene Directie Burgerluchtvaart. Rapport vliegtuigongeluk.* 'Ik zal het je niet helemaal voorlezen, het is soms erg technisch. Maar je zult zien wat ze over de piloot zeggen, en de mogelijke oorzaak.'

Ze leunt achterover in haar ruime stoel, slurpt voorzichtig aan de hete thee, schikt de bril nog even en kijkt Miguel over de glazen heen voor de zoveelste keer aan.

'Vliegtuig Languedoc MB-161, kenteken EC-ANR, van Aviación y Comercio SA, dat op 4 december 1958 te pletter sloeg in de Sierra de Guadarrama. Het toestel steeg om 16.40 op van het vliegveld van Vigo, met bestemming Madrid, op een reguliere vlucht met vijf bemanningsleden en zestien passagiers.' Ana kijkt weer even op. 'Nu volgen allemaal details, over de vlieghoogte, de tijdstippen van communicatie met Madrid en dat ze om 17.50 over Salamanca vlogen. Dan schrijven ze over een van de belangrijkste problemen: de radio doet het niet, de VHF-apparatuur is kapot, en dat was niet voor het eerst. Dit staat er: "Om 18.15 uur geeft de verkeersleiding in Madrid het vliegtuig EC-ANR toestemming rechtstreeks contact te maken via de frequentie 3.023,5 KC van de verkeerstoren van Barajas. EC-ANR bevestigt de ontvangst; dit is de laatste verbinding die er geweest is met het vliegtuig."'

Ana rust, ze slikt. Ze kijkt niet op, blijft naar het papier staren. Het trilt een beetje. Ze legt het stapeltje even op het album dat op haar schoot ligt. Dan pakt ze het weer op en brengt het op borsthoogte. 'Tussen 18.15 en 18.20 verongelukte het toestel, op de top van de knie van De Dode Vrouw (1.999 meter), in de gemeente Laso (Segovia), waarna het toestel in brand vloog.'

Ze zucht diep, legt de kopieën weer neer. Ze heeft het lang niet teruggelezen. Waarom ook? Ana heeft het al lang geleden geaccepteerd. Anders zou ze geen leven hebben gehad. Nee, niet verdrongen. Ze heeft het juist niet willen verbergen. Anders zou het een zwerende wond onder een dikke korst zijn geworden, pijnlijk en moeilijk behandelbaar. Maar nu staat het hier zo koel, enkele woorden op een ruim veertig jaar oude kopie. 'Te pletter geslagen,' stond er. Vreselijke term. Gelukkig was die niet op Maribel van toepassing. Ze was nog heel. Ze was nog het meisje dat ze altijd was geweest. Heel. Puur. Net als die jongen uit Barcelona, Ángel Murcia. Misschien hadden ze wel dicht bij elkaar gezeten op het bewuste moment, achter in het toestel. Hij was vierentwintig. Zou ze hem leuk hebben gevonden?

'Wilt u ermee stoppen?' vraagt Miguel. 'Of zal ik het verder lezen?'

'Nee,' zegt Ana. 'Sorry. Ik weet al wat erin staat. Ik lees je het meest interessante, het belangrijkste voor. Er volgen alinea's over het slechte weer, een depressie voor de kust van Portugal, hoge en zware wolken boven het noorden en midden van Spanje waaruit voortdurend neerslag viel. De kou op grotere hoogte. Dan dit.'

'Wacht even,' onderbreekt Miguel haar. 'Wat zei u van een dode vrouw? Heet die berg zo?'

'Ja. Nou, niet echt. Hij heet Pico Pasapán. Het is

de bijnaam die de mensen uit de streek hem hebben gegeven. Als je in Segovia naar die bergketen kijkt, zie je die dode vrouw liggen, echt waar. Haar hoofd, haar neus, haar borsten... En dus ook een knie. Je kunt het je misschien niet voorstellen, maar het is echt waar. Ik zal je zo een foto laten zien, uit een krant van toen.'

Ze slaat een pagina om. 'Onderzoek van het wrak. De berg waar het toestel tegenaan vloog heeft een hellingsgraad van 25-30° en bestaat uit stenen en rotsen met een diameter tot 1 meter. Het toestel raakte de helling tegelijk met zowel de cockpit als de linkervleugel, met zo'n grote kracht dat de romp in tweeën brak, ter hoogte van de wc, waardoor de staart licht werd verplaatst en in een hoek van 45° op de romp kwam te staan.' Ana kijkt weer op; Miguel is doodstil, verroert zich niet. 'Daar zat mijn dochter, in de staart, daar was haar stoeltje. Ze moet uit het vliegtuig zijn geslingerd. Het moet een vlammenzee zijn geweest. Luister maar: "Als gevolg van de klap en het scheuren van de tanks ontstond een brand en, geholpen door de helling, overspoelde de brandstof de zone waar de romp lag."'

Ze glijdt met haar gerimpelde wijsvinger naar beneden. 'Een beetje formele taal allemaal. Dit is ook belangrijk: "Op de manier waarop het wrak werd gevonden kan gezegd worden dat de botsing plaatsvond zonder dat het vliegtuig een abnormale positie had, want het botste op de berg in een normale vliegpositie met slechts een kleine inclinatie naar links."'

'Ze werden dus volledig verrast,' zegt de jonge ober. 'Toch?'

'Ja, daar lijkt het op. Net iets te laag gevlogen. Vijftig of honderd meter hoger en hij was zonder problemen over de top gegaan. Het was donker, er was ongetwijfeld laaghangende bewolking rond de bergtoppen, want die is er bijna altijd, zeker in de herfst en winter. De piloot heeft misschien niets gezien. De radio deed het niet en alle andere instrumenten waren een stuk ouderwetser dan nu, natuurlijk. Geen weerradars of zo. Turbulentie konden ze niet zien aankomen, grote wolkenpartijen ook niet. In die jaren vlogen piloten op de tast als het donker of slecht weer was. In het onderzoeksrapport wordt in de volgende pagina's opnieuw veel over de meteorologische situatie van die dag geschreven. Uit de bestudering van het wrak konden ze verder geen conclusies trekken over de oorzaak, dus gaat het vooral over het weer. Over het ijs, de kou, het grootste probleem van die Languedocs. Ze konden niet tegen de kou. Luister maar: "Op niveau 95 was de luchttemperatuur 3 of 4 graden onder nul, wat in combinatie met de formatie van grote wolken tot ijsvorming zou kunnen leiden. In het weerrapport van 18.00 uur staat dat er mist was die rijp op de grond achterliet. Vooral binnen de cumuliforme wolken konden de omstandigheden veel gevaarlijker zijn. Het ongeluk vond plaats vlak voordat er neerslag zou vallen, zo viel op te maken uit de sporen onder het wrak, uit de afwezigheid van sneeuw daar. Dat betekent dat het toestel door de hoge stapelwolken is gevlogen op het meest kritische moment, kort voor de neerslag, wanneer het risico op ernstige ijsvorming het grootst is."'

Ana zucht. Het is een beetje technisch nu, zegt ze, maar wel belangrijk om de slotconclusies te kunnen begrijpen; daar staat de mogelijke oorzaak van het ongeluk, van de reden van de leegte die ze de rest van haar leven nooit meer heeft kunnen vullen.

'Kun je me nog volgen, Miguel?'

'Ja, mevrouw. Ik begrijp niet zo veel van vliegtuigen, maar wel van het weer en zo. Die wolken waar u het over heeft, die zijn prachtig als je ze ziet. Heel hoog steken ze de hemel in, af en toe heb je ze ook hier; je wordt er bijna bang van, alsof ze zo over ons heen kunnen vallen en ons kunnen verpletteren.'

'Ja, dat moet dus het grootste probleem zijn geweest. Een vliegtuig is nietig in zo'n wolk. Nog een half velletje: "Als het ongeluk aan meteorologische omstandigheden is te wijten, dan is ernstige ijsvorming hoogstwaarschijnlijk de directe verantwoordelijke. Als het toestel een cumulus congestus is binnengevlogen..."'

'Dát is de wolk die ik net beschreef, señora Ana, een congestus, zo'n hele hoge, net een bloemkool in de lucht...'

'Ja, ik weet het, Miguel, ik heb het ooit opgezocht, natuurlijk, want eerst begreep ik het niet. Nou, als hij daar dus is binnengevlogen, schrijven ze, dan is er plotselinge en ernstige ijsvorming opgetreden. "Vervolgens zou dit kunnen zijn gebeurd: a) bij een snelle verandering in de aerodynamiek van het vliegtuig zou het snel aan hoogte hebben kunnen verliezen zonder dat de commandant tijd zou hebben gehad dit te herstellen; b) door het hoogteverlies zou het toestel in een zone van turbulentie kunnen zijn terechtgekomen en zou het niet meer onder controle kunnen worden gebracht; c) vanwege de ijsvorming zou de commandant, terwijl hij dacht dat hij de bergketen al was overgestoken, lager kunnen zijn gaan vliegen om zich onder de isotherme grens van 0 graden te situeren, die zoals hem bekend was onder de 2.200 meter lag."'

Ana haalt adem, gaat licht verzitten. 'Dit laatste is wat ze ons als meest plausibele oorzaak van de ramp hebben gegeven. Dat de piloot te laag heeft gevlogen. Zijn schuld dus, een menselijke vergissing, omdat hij dacht dat hij de siërra al over was. Zijn familie was woedend, in een eerste versie van het rapport werd hem zelfs nog meer verantwoordelijkheid aangewreven. Niets over de belabberde toestand van het vliegtuig. Tussen de regels door wordt pas duidelijk dat de radio niet werkte. En hier, helemaal op het einde: "Onder de omstandigheden van ernstige ijsvorming is de mechanische apparatuur om die te bestrijden praktisch onbruikbaar."'

Ze legt de velletjes naast zich neer, op het tafeltje. 'Met andere woorden: al met een paar graden onder nul kon het toestel niet boven de tweeduizend meter vliegen. En dat in een bergachtig land als Spanje, en de winterse kou op die vluchten naar het noorden die Maribel zo vaak heeft moeten doen. Maar dat staat dus nergens, in het hele rapport niet, dat de Languedoc niet geschikt zou zijn. Het slechte weer en de piloot, dat was het volgens hen.'

Even komt de woede weer bovendrijven. De onmacht. Het onbegrip. Josep María noemde de Languedocs 'vliegende doodskisten'. Als ze vooraf geweten hadden hoe gevaarlijk ze waren... Als... Binnen twee jaar na het ongeluk stuurde Aviaco alle Languedocs met pensioen. Alle met een recordaantal vluchturen, dat wel. Na loodzware jaren in de lucht waren ze uitgemergeld als een straathond. Als... Er stortten later nog wel meer toestellen van Aviaco neer. En van Iberia. Als Maribel niet al in 1958 was verongelukt had ze misschien later op zo'n andere rampvlucht gezeten. Als...

'Had de piloot zijn instinct maar gevolgd en was hij helemaal niet opgestegen die dag,' zegt Miguel om de stilte te doorbreken. Hij pulkt met zijn rechterhand wat aan zijn broekspijp. 'Maar daar heeft u niks aan, natuurlijk,' beseft hij onmiddellijk.

Ana ziet het ongemak bij de jongen. Dit is niet de reden dat ze hem in huis heeft gehaald; hij moet haar niet zien als een droevig oud vrouwtje, en het schilderij van Maribel niet als een slechte herinnering die als een spook door dit huis en haar leven waart. Ze wil hem een verhaal vertellen van mooie dromen die soms niet uitkomen maar die je om die reden niet moet verwerpen. Het verhaal van een jonge stewardess die door iedereen, in de zes maanden die ze werkte, als voorbeeldig werd gezien. Ze zal hem zo de krantenknipsels uit 1958 laten zien, hoe er over haar werd geschreven. En haar foto's. Het schilderij is prachtig, maar op de foto's heeft Maribel meer kracht en schoonheid, is ze minder sprookjesachtig dan op het beschilderde doek, een sterke vrouw die weet wat ze wil, op een vliegtuigtrap staat en zegt: komt u maar aan boord, ik zal u een aangename vlucht bezorgen; dit is mijn huis, mijn leven, u bent mijn gast.

HOOFDSTUK 18

'Mama! Zijn ze er al?' Carmen kwam binnenstormen en smeet haar schooltas in de gang op de grond. Sinds ze in de Colonia Margarita woonden had ook zij een sleutel van de flat, voor als er niemand thuis was.

'Wat doe jij hier zo vroeg?'

'Ik mocht van de meester een uur eerder naar huis, om m'n zusjes te zien.'

Emilia Gesteira stak haar hoofd uit de keuken naar buiten. Ze probeerde lief te lachen. 'Ze zijn vertraagd. Papa is op het vliegveld, het kan nog wel even duren.'

Het gezicht van Carmen betrok. 'Hoelang?'

'Dat weten we niet. Misschien vertrekken ze pas om drie uur uit Vigo. Dat betekent dat het donker zal zijn voordat ze hier thuis zullen zijn.'

'Moet ik dan al naar bed?'

'Nee, ik hoop het niet. Teresa wel, natuurlijk. Die kan wel tot morgen wachten.'

Emilia had haar jongste dochter bij de nonnen opgehaald. Overste Matilde was net zo teleurgesteld als zijzelf. Ze zei tegen Emilia dat ze kon komen wanneer ze wilde, om naar haar schoonvader in Pontevedra of naar het vliegveld van Barajas te bellen.

Toen ze thuiskwam, wist ze niet wat te doen. Teresa vroeg om aandacht, maar Emilia kon die niet geven, ze had er het geduld niet voor. Ze ijsbeerde door de woonkamer terwijl de kleine op de grond met wat speeltjes gooide. Het geluid irriteerde Emilia. Ze besloot het avondeten alvast te bereiden; op de weg terug naar huis had ze boodschappen gedaan. Het moest een feestmaal worden. Ze had octopus gekocht, al was die eigenlijk te duur, maar ze wilde dat Josefa en Esther zich direct thuis zouden voelen, dus dat het eten hier niet veel anders dan in Pontevedra zou zijn. Dat er niet zo vaak vis zou zijn, dat zouden ze later wel merken. Noch vlees. Rijst, aardappels, kikkererwten, bruine of witte bonen en linzen, dat was de basis van elke dag, zeker nu de kou zich aankondigde. Goedkoop en gezond. Carmen was nooit ziek, ook niet in de gure winters op de Madrileense hoogvlakte. De eeuwige regen in Galicië sloop dieper het lichaam in dan de vrieskou in Madrid. Emilia had ondervoede kinderen gezien op de school van Carmen, dat zou haar dochters nooit overkomen. Het geld ging allereerst naar voedsel, daarna zagen ze wel wat er overbleef. Op zondag was er een stoofschotel met vlees, om een goede start voor de rest van de week te maken. Normaal gesproken aten ze op vrijdag altijd vis, nu had ze het een dag eerder gekocht. Voor de meisjes. Voor haar meisjes. Opgegroeid met de onuitputtelijke rijkdom van de Galicische wateren. Bij opa en oma had het hun ongetwijfeld aan niets ontbroken en waren er bijna alle dagen vis of schelpen of garnalen op tafel gekomen. Niet dat ze zo rijk waren, maar vis was er net zo overvloedig aanwezig als de groenten en de koeien op het land. Pas als de vis naar Madrid moest worden vervoerd werd het duurder vanwege de tussenpersonen en konden slechts de rijkeren het zich veroorloven. Kerst was in aantocht; Emilia zou zich die dagen niet meer in het centrum van de stad wagen, waar de bediendes van de bourgeoisie de markten met grote tassen overvielen om het lekkerste en beste mee te nemen. Dat jaar was er voor het eerst een supermarkt geopend, een winkel waar je alles tegelijk kon kopen, groente en fruit en vlees. Hier niet, in de wijk. Ook de supermarkten waren alleen voor de rijken.

Emilia en Rafael zouden deze kerst geen delicatessen nodig hebben om er de gelukkigste feestdagen van hun leven van te maken.

Het was zo lang geleden dat Emilia bijna vergeten was hoe ze thuis in Galicië de octopus bereidde. Ze deed er langer over nu, maar dat was opzettelijk. In de keuken kon ze de tijd doden, ergens anders in huis zou ze de rust niet kunnen vinden. Ze gaf het beest een flinke klap en liet het enkele keren schrikken in het kokende water, om het daarna goed onder te dompelen. De octopus was vers, dat kon ze goed zien. Later op de dag, als de inktvis was afgekoeld, zou ze hem in mooie mootjes snijden. Al toen ze klein waren hadden de meisjes vooral van de dunne puntjes van de tentakels gehouden. Die zouden voor hen zijn. Intussen schilde ze de aardappelen. De groenteman verkocht de zachte *cachelos* van het Galicische land. Hij was niet gek en had ook ontdekt dat er veel Galiciërs waren die zich in Colonia Margarita hadden gevestigd. Met hun geboortegrond en familie zo ver weg zochten ze een houvast in andere zaken. In eten, natuurlijk. Maar ook in elkaars gezelschap. Iedereen zocht elkaar op, de Galiciërs, de Andalusiërs, en de mensen uit Extremadura, die het geluk hadden dat Madrid dichter bij huis lag. Emilia en Rafael hadden al Galicische vrienden opgedaan toen ze in de Béjarstraat woonden; die zouden ze nu minder vaak zien. Maar hier waren er ook genoeg, je hoorde het zo op straat of in de bar, waar Rafael 's middags regelmatig kwam. Ze woonden er maar net, maar kwamen nu al bij elkaar over de vloer, of spraken op zondag af gezamenlijk te eten op de onbebouwde kavels rond de wijk. Er waren behalve de heuvels ook weilanden zonder koeien, waar de kinderen konden spelen. Nu was het er ineens te koud voor geworden.

Af en toe klonk de bel. Buren en bekenden die naar de meisjes vroegen. De uren verstreken, maar Emilia moest steeds hetzelfde antwoord geven. Ze hoorde kinderstemmen in het portiek en snelde naar de deur. Het waren die van de buren.

Ze had de octopus gesneden, net als de aardappels. Ze stonden klaar om straks opgewarmd te worden, het paprikapoeder en grove zout had ze al op tafel gezet. Die was een beetje te klein, ontdekte ze nu. De vijf borden pasten er net op. Teresa had haar eigen stoeltje om te eten maar was al in slaap gevallen.

'Mama, wanneer komen ze nou?' Om het halfuur prikkelde Carmen haar zenuwen nog meer. Bij elk 'mama' trokken Emilia's vingers strak, schoot haar rug recht, en beet ze even op haar lippen om haar oudste dochter ontspannen te antwoorden. En elke keer als Carmen de vraag stelde keek Emilia weer op de klok. 'Ik weet het niet.'

Het was acht uur, etenstijd naderde. Nog een keer rekende ze de tijd. Om drie uur opstijgen in Vigo, om vijf uur landen in Madrid. Uitstappen, de ontvangst, op zoek naar de bus. Die reed niet zeer frequent. Emilia had geluk gehad, op de weg terug: hij stond bij de halte klaar. Maar zelfs als ze er een gemist zouden hebben, hadden Rafael en de meisjes om zes uur, half zeven wel een bus gehad. Dus hadden ze vóór zeven uur, half acht thuis moeten zijn. Misschien had de bus pech, dat zou niets nieuws zijn.

'Mama!'

Emilia kneep haar nagels in haar handen, die ze naar haar ogen bracht en strak tegen haar gezicht drukte. 'Ja, Carmen.'

'Waarom is opa niet meegekomen?'

Ze zuchtte. 'Dat is te duur, lieverd. En hij is niet zo goed meer ter been.'

'Vindt hij het niet erg, nu oma er ook niet meer is?'

'Ja, ik denk het wel. Althans, hij zal het niet leuk vinden alleen te blijven. Maar hij heeft zijn vrienden daar. En je zusjes waren wel erg groot geworden voor hem, en een beetje druk. Opa heeft nooit zo veel eten gekookt, nu moest hij het voor hun drieën doen.'

'Maar ga ik hem dan niet meer zien?' Carmen keek haar met grote ogen aan.

'Jawel. Opa zal nog weleens komen, met de bus of de trein.'

'En kunnen wij niet naar Galicië?'

'Met z'n zessen? Weet je hoe duur dat is?'

'Dan ga ik toch alleen? Net als Josefa en Esther nu. Ik ben bovendien ouder. Dat kan ik wel.'

Emilia vond het geen gek idee. De zomervakanties waren oneindig lang, bijna drie maanden. Werk, huishouding en aandacht voor de kinderen waren moeilijk te combineren. Emilia had geluk dat er in de vakantie ook bij de nonnen minder werk was, want geen school. Slechts zomerse opvang voor enkele tientallen kinderen. Ze was altijd eerder klaar dan tijdens het schooljaar.

'Daar kunnen we over denken. Misschien in de zomer, dan kun je naar opa en ook naar tante en je neven en nichten in het dorp. Als je cijfers op school tenminste goed zijn.'

'Joepie!'

'Maar dat is nog ver weg, hè?'

'Ja, geeft niet. Mag ik dan ook met het vliegtuig?'

'Dat weet ik niet, beter met de bus denk ik.'

'Maar dan hebben Josefa en Esther al gevlogen en ik nog nooit.'

'Nou en? Denk je dat het leuk is, vliegen? Volgens mij is het best eng.'

'Nee hoor. Het is alsof je boven op de flat staat en naar beneden kijkt. Maar dan iets hoger. Op school hebben we er een les over gehad, over hoe de mens nu kan vliegen. Maar de juffrouw zei dat alleen de rijken dat kunnen doen.'

'Ja... Het is erg duur.'

'Maar wij zijn toch helemaal niet rijk?'

'Nee, dat kun je wel zeggen.'

'Nou, en Josefa en Esther dan?'

'Daar hebben we lang voor gespaard, lieverd. En omdat ze zo klein zijn hoefden we minder te betalen.'

'Ik wil ook met het vliegtuig.'

'Rustig maar. Ik moet het er eerst nog met papa over hebben.'

'Waar blijft hij nou?'

Half negen.

'Carmen.'

'Ja, mama.'

'Ik ga even naar de nonnen. Ze hebben er telefoon. Ik mag van ze naar het vliegveld bellen. Misschien kan ik papa op die manier vinden, of kunnen ze me zeggen hoe laat het vliegtuig is geland. Pas jij op Teresa? Als ze wakker wordt kun je haar alvast eten geven. Er is aardappelpuree.'

'Ja mama. En als ze komen en je bent er niet?'

'Ik ben zo terug.'

Emilia deed haar dikste jas aan. De wind was met het ondergaan van de zon gaan liggen, maar de temperatuur was verder gedaald. De regen viel zachtjes neer, en stond op het punt in natte sneeuw te veranderen. Emilia deed een muts op. Het eerste stuk liep ze over de route die Rafael met de meisjes vanuit de bus zou nemen. Er was bijna niemand meer op straat, enkele schaduwen schuilden langs de gevels, de lantaarns gaven nauwelijks licht. De kou was vroeg gekomen. Met het verstrijken van de minuten voelde Emilia meer rillingen over haar rug. Ze liep alleen over straat en voelde weer de leegte van de laatste vijf jaar. Ze was nog vol verwachting, maar het was of de vertraging en het gebrek aan nieuws de illusie hadden getemperd. De zenuwen van de ochtend waren verdreven door een ongezonde spanning. Op een of andere manier, dacht ze, zou Rafael haar hebben ingelicht, over een vertraging, over dat ze een dag later zouden komen. Via een bekende die hij op het vliegveld had ontmoet. Een telefoontje vanaf Barajas naar het postkantoor, of naar de bar. Ze zouden haar hebben gerustgesteld: 'Je man aan de telefoon, hij heeft ons dit en dat gezegd... Alles goed met de meisjes, ze komen door het slechte weer iets later aan.'

Helemaal niets. Al zes uur niet, sinds zij met een zwaar gemoed terugkeerde van haar bliksembezoek aan het vliegveld. Een drukkend gevoel dat zich nu in haar maag had genesteld. Ze had geen zin meer in de octopus.

Ze klopte bij de Zwitsersen aan. Zuster Laura deed verbaasd open.

'Emilia, om deze tijd? En je dochters?'

'Die zijn er nog niet. Overste Matilde zei dat ik

hiervandaan mocht bellen als het nodig was.'

'Vanzelfsprekend, kom binnen.'

De telefoon hing in de lange, brede gang die naar de eet- en slaapruimtes van de nonnen leidde. Als hij overging, weerklonk de bel door het hele gebouw, versterkt door de kale muren en hoge plafonds; zelfs de oudste en doofste nonnen konden hem horen.

'Wie wil je bellen?'

'Het vliegveld, maar ik weet niet wie.'

'Met welke maatschappij vliegen ze?'

'Aviaco.'

De non nam de telefoon op. Ze vroeg een verbinding aan met het kantoor van Aviaco op Barajas. Het signaal klonk zo luid dat ook Emilia hem hoorde overgaan. Er werd niet opgenomen. De non probeerde het opnieuw. Nu vroeg ze naar een verbinding met het vliegveld zelf. Na enkele seconden een klik en een stem; ze gaf de hoorn aan Emilia.

'Wat moet ik zeggen?' fluisterde ze tegen de non.

'Vraag naar die vlucht...'

Emilia keek even naar de hoorn voordat ze hem aan haar oor en mond zette.

'Hallo, hallo?' klonk het aan de andere kant. Een vrouwenstem.

'Ja, ik bel om te weten of mijn dochters al zijn gearriveerd. Ze hadden al thuis moeten zijn maar ik heb nog niets gehoord. Hun vader staat op het vliegveld en...'

'Mevrouw, mevrouw, sorry...' Emilia zweeg, ze luisterde. 'Mevrouw, met welk vliegtuig waren ze?'

'Uit Vigo, vanmiddag om twee uur moesten ze landen.'

'Ja, een toestel van Iberia, dat is kort daarvoor geland.'

'Nee, ze reisden met Aviaco.'

Het werd stil aan de andere kant. Emilia hoorde gestommel, het leek of de hoorn met een hand werd afgedekt. Ze hoorde tikken, misschien een ring aan de vinger van de telefoniste.

'Met Aviaco...' herhaalde Emilia.

'Ja, ik heb u gehoord, ik ben aan het informeren. Een momentje.'

Emilia keek de non aan. Ze haalde haar schouders op. Het momentje duurde langer dan een wandeling door de kloostergang op en neer. Het bleef stil aan de andere kant van de lijn, Emilia hoorde slechts zachte tikjes van regendruppels of gesmolten sneeuwvlokken tegen de ramen.

'Mevrouw?'

Ze schrok ervan.

'Ja?'

'U bent familie, zei u?'

'Ja, hun moeder. En mijn man staat op het vliegveld, Rafael Castillo heet hij.'

'En uw dochters?'

'Josefa en Esther.'

'Het vliegtuig zal vandaag niet aankomen. Tegen de mensen die stonden te wachten is gezegd dat ze morgenochtend moeten terugkomen. Dan weten we meer.'

'Zijn ze nog in Vigo? Dan bel ik mijn schoonvader.'

‘Uw man was hier op Barajas?’

‘Ja, al urenlang.’

‘Als het goed is, is hij onderweg naar huis. Meer kan ik u niet zeggen. Sorry, maar we moeten de lijn vrijhouden. Dank u voor het bellen.’

‘Dank u,’ mompelde Emilia. Ze hoorden haar niet meer, de telefoon op Barajas was opgehangen.

HOOFDSTUK 19

Op weg naar het begin van de startbaan probeert de wind ons van het asfalt te drukken. Zou het een baan van gras zijn geweest dan waren we zeker niet de lucht ingegaan. Het toestel waggelt, maar de westenwind krijgt niet volledig vat op ons. Er is in Vigo maar één baan, en die loopt net van noord naar zuid, dwars op de wind van vandaag. Zodra commandant Calvo het vliegtuig de lucht in trekt zal hij iets naar rechts draaien, zo snel mogelijk de neus tegen de wind in om hoogte te winnen. Om dan binnen een minuut, nog voordat we boven zee komen, weer naar links te draaien en vanaf daar in een rechte lijn naar Madrid te vliegen. Ik vind het jammer voor de zusjes dat ze niets van de aarde zullen zien. Zo mooi als het uitzicht op bijna drie kilometer hoogte op een zonnige dag is – de heuvels in het groene Galicië, daarna de bergen in het noorden van Portugal, de weidse, geelgekleurde velden met hun groene plukjes van eiken rond Salamanca, aan de rechterkant de imposante muren van Ávila, een van de steden in Spanje die ik tot nu toe alleen vanuit de lucht heb gezien. Daarna zie je de bergen van de Sierra de Guadarrama langzaam opdoemen, het land loopt omhoog en komt snel dichter bij het vliegtuig, en dan een moment van extase als de hoogste hindernis is genomen, als we de toppen van de bergen bijna met een uitgestrekte hand zouden kunnen raken en daarachter, weer plotseling in de diepte, de bebouwing van Madrid verrijst. De passagiers zullen er niets van zien. Zelfs als het iets opklaart is het vandaag te donker en is Spanje vanuit de lucht net zo grauw als het op de grond is. Ik heb weleens een passagier gehad die zijn geld terugeiste omdat hij geen mooi uitzicht had genoten.

We draaien aan het begin van de baan om en Pepe Calvo maakt direct snelheid. Ik zie veel passagiers opnieuw een kruisje slaan. Zelf ben ik daarmee gestopt. In het begin deed ik het omdat ik het iedereen zag doen. Maar toen een passagier eens vreemd opkeek heb ik het maar gelaten. Wat moeten ze denken van een stewardess die een schietgebedje voor haar vlucht doet? En God behoedt ons toch niet voor zware windstoten en hevige regenval. En als Hij werkelijk zo belangrijk is, dan heeft Hij het met mij goed voorgehad. Ik vlieg en ben dichter bij Hem dan ooit, maar zonder dat ik Hem zo dwingend over me voel waken als in de schoolbanken.

De motoren gieren nu, zelfs een gesprek tussen passagiers aan beide zijden van het gangpad is onmogelijk. Niemand denkt ook aan praten. Ik zit achterin en kan hun gezichten niet zien, maar van veel passagiers worden de knokkels van de handen wit terwijl ze de armleuning vastgrijpen alsof het hun reddingsboei in de lucht zal zijn. De markiezin zal de hand van haar man fijnknijpen. Josefa kijkt vanaf haar stoel even om en lacht me vrolijk toe. Ik steek mijn duim omhoog, zij doet het ook. Ik tik mijn rechteroog aan, *kijk maar naar buiten* zeg ik haar met mijn lippen. Ze draait weer terug naar haar zusje, die haar armen de lucht in heeft gestoken alsof ze in het wagentje van een achtbaan zit.

De neus trekt zich omhoog en sleept de romp achter zich aan, ik volg achterin als laatste en word net als de rest tegen de rugleuning aan gedrukt. Het is het moment dat de adem even stokt, dat de longen door de snelheid, zwaartekracht en een bijna liggende houding kilo's aan gewicht op zich krijgen. Tijd om rustig op adem te komen krijgen we niet; we zijn nog niet boven de terminal uit of we incasseren de eerste zwieper van de zeewind. Ik hoor boven de motoren uit een korte gil. Even later volgen meer klappen en kreten. De dikke en lage wolken slokken ons onmiddellijk op, de duisternis is compleet en het vliegtuig maakt korte vrije vallen voordat het weer tegen een regenwolk beukt. Zij die voor het eerst vliegen vragen zich af waar ze in 's hemelsnaam aan begonnen zijn, vrezen dat hun avontuur geen vijf minuten zal duren en dat ze straks vermorzeld in een weiland bij Vigo zullen liggen. Ik weet dat Pepe Calvo nu met zijn stuurknuppel vecht om ons zo recht mogelijk te houden en zo snel mogelijk boven de wolken te krijgen. Wie weet worden we daar verwelkomd door een stralende zon in het zuidwesten.

Als een kurk die van de fles plopt springen we ineens de zwaarste wolken uit. Deze keer is er echter geen licht na de duisternis; ook boven de duizend meter is het grijs en vervelend, maar langzaam laten de passagiers de leuning los en hoor ik kabbelende stemmen in plaats van de geschrokken kreetjes van zojuist. Beetje bij beetje gaan we horizontaler vliegen, de vier motoren kreunen en steunen minder. Ik doe mijn gordel af en ben in drie stappen bij de twee zusjes.

'Alles goed, meisjes?'

'Het was leuk!' kirt Josefa.

'Ik vond het spannend,' zegt Esther.

'Nog even wachten en ik breng wat drinken,' beloof ik hen.

Ik loop door het gangpad en vraag bij elke rij of alles in orde is. Een voor een kijken de passagiers naar me op, soms met een blik van verwijt en opluchting tegelijk. Alsof ze boos op me zijn en denken dat ik hen erin heb geluisd. Tegen iedereen zeg ik dat we het ergste van de vlucht hebben gehad, dat het vanochtend in Madrid een stuk rustiger was dan hier boven Galicië, dus dat we boven de hoofdstad geen grote problemen of hevige regenval verwachten. Ik open de deur van de cockpit, ook hier is de sfeer meer ontspannen dan tien minuten geleden. Ik krijg een knipoog van Enrique, Pepe Calvo slaat de jonge copiloot Pepe op zijn rug en telegrafist Pedro probeert contact te krijgen met het volgende radiostation op de grond.

'Een glaasje water, mannen? Ik ga het halen.'

Op de terugweg naar achteren houdt de markies me even staande. 'Wat zegt Pepe?'

'Alles in orde, op deze vlucht was het opstijgen het meest kritische moment.'

'Zie je wel?' zegt hij tegen zijn lijkbleke vrouw.

Josefa en Esther hebben weer met de poppen gespeeld als ik naast hen kom zitten. Het zijn schatten, heerlijke, geduldige meisjes. De vrolijkheid is nog geen moment van hun gezicht verdwenen. Ze kunnen goed met elkaar opschieten, ik heb ze geen moment ruzie horen maken. Ik kan me niet zo goed meer herinneren hoe ik op die leeftijd was. Negen, tien jaar. Op de lagere school. We waren de totale onschuld, wisten helemaal niets van het leven, van het land. Althans, op school leerden we daar niets over. Afhankelijk van wat we van thuis meekregen waren we min of meer naïef. Min of meer dom zelfs. We leefden in een wereld van meisjes, die van de jongens was ver weg. Voor mij helemaal, ik had niet eens broers of neefjes.

'Dus jullie gaan papa en mama weer zien?'

'Jaaaaa,' roepen ze beiden.

'En onze zusjes,' voegt Esther eraan toe.

'Carmen en Teresa,' zegt Josefa. 'Maar Teresa kennen we niet.'

'Hoezo dat?'

'Ze is drie jaar geleden geboren, in Madrid. We hebben haar nooit gezien.'

'Zijn jullie nooit in Madrid geweest?'

'Nee. En papa en mama zijn ook nooit teruggekomen.'

Ik schrik van de woorden, maar de blik op het gezicht van de meisjes is onveranderd opgewekt.

'Hoelang hebben jullie ze al niet gezien?'

'Vijf jaar, zegt opa.' Esther neemt het woord over. 'Toen was ik ongeveer net zo oud als Teresa nu is. Ze zeggen dat ze op mij lijkt.'

'En die andere zus? Carmen?'

'Die is twaalf. Die kennen we natuurlijk wel.'

'Jullie konden niet mee naar Madrid?'

'Nee.' Josefa weer. 'Papa werd postbode, maar hij verdiende niet genoeg geld voor ons allemaal. Ze hadden maar een klein huisje. Esther en ik moesten bij opa en oma blijven tot hij meer zou verdienen en een groter huis zou krijgen.'

'En dat heeft-ie nu?'

'Ja, met drie slaapkamers. Maar Esther en ik willen wel bij elkaar blijven slapen.'

'In een stapelbed,' zegt Esther.

Ze spreken gelukkig luid, het vliegtuig is erg gehorig. Josefa is gaan staan, haar zus zit weer op haar knieën. Ze vertellen hun verhaal zonder enige droefenis.

'En zijn jullie blij om naar Madrid te gaan?'

'Ja,' zegt Josefa. 'Mama moest huilen toen ze vertrokken, nu zal zij ook wel blij zijn. Het is een beetje zielig voor opa, want hij is alleen nu. Hij was op het vliegveld...'

'Ja, ik heb hem gezien. Een lieve man.'

'We wilden dat hij meekwam, maar hij kon niet. Misschien komt hij later, zei hij.'

Ik ben op de leuning aan de andere kant van het

gangpad gaan zitten. De meisjes heb ik elk een beker limonade gegeven. 'Ik heb nooit een zusje gehad,' zeg ik.

'En een broertje?' vraagt Esther. 'Ik wilde graag een broertje.'

'Nee, ook geen broertje,' zeg ik.

'Wil jij onze zus zijn?' vraagt Esther.

'Ja hoor, maar jullie hebben er toch genoeg? Met z'n vieren... Nog één erbij, dat zouden papa en mama niet leuk vinden.'

Ik ben benieuwd hoe hun ouders eruitzien. Hoe de ontmoeting straks zal zijn. Na vijf jaar. Mama wordt al nerveus als ze me een week niet ziet. En ik ben al achttien jaar.

'Ik wil ook stewardess worden,' zegt Esther. 'Dat kunnen alleen de meisjes, toch?'

'Nou, er zijn een paar jongens die dit werk doen, maar je hebt gelijk, het zijn bijna allemaal meisjes.'

'En wat moet je kunnen?' vraagt de jongste.

'Elegant zijn,' lach ik.

'Wat?'

'Elegant. Netjes, keurig, snap je? Maar jullie zijn dat al. Keurige kinderen. Goed opgevoed. Hebben jullie mama en papa gemist?'

'Ja,' zegt Josefa, 'heel veel. Soms hebben we over de telefoon kunnen praten. En ze hebben ons foto's gestuurd. Carmen is heel groot geworden. Maar mama zegt dat we al die tijd nu gaan inhalen, dat zij nooit meer weg hoeven en wij nooit meer bij opa gaan wonen. En dat we daar heel veel vriendjes en vriendinnetjes gaan krijgen.'

'Mooi. Papa zal op het vliegveld staan wachten.'

'Ja, dat heeft mama gezegd. En dat hij een beetje kaal is geworden.' Esther giechelt. 'Hoelang duurt het nog?' vraagt ze.

Ik kijk op mijn horloge. 'Minder dan anderhalf uur.'

'Hoelang is dat?'

'Veel minder dan de tijd dat jullie op het vliegveld hebben zitten wachten.'

Ik sta op, moet voorkomen dat mijn rok kreukt.

'Als jullie nog iets willen drinken moet je het zeggen. Straks breng ik een broodje. En als ik er even niet ben, kunnen jullie het aan deze meneer vragen. Hij heet Manuel.'

'Ignacio! Ze noemen mij Ignacio.' De Chileen draait zich om, maar hij kijkt naar mij in plaats van naar de meisjes. Op zijn gebruinde gelaat schitteren de witte tanden in het halfduister van de cabine. Ik merk dat het kouder begint te worden en haal de dekens uit de kastjes.

HOOFDSTUK 20

Ana Bernal heeft het onderzoeksrapport op tafel gelegd en Miguel gevraagd met zijn stoel naast haar te komen zitten. Ze heeft de twee albums op schoot liggen.

'Je kent mijn dochter alleen maar van dat schilderij.'

'En van die foto's, neem ik aan,' wijst de ober naar het tafeltje in de donkere hoek. Er staan twee zwart-witfoto's in een donkerbruine lijst. Links een jonge vrouw, rechts een meisje. Het lijkt of ze elkaar willen aankijken. Ze zijn vrolijk. De vrouw heeft een gelukkige, guitige lach op het gezicht, de grote boventanden springen de kamer in. Het haar is perfect gekapt, een grote golvende krul loopt van voor naar achteren. Een broche prijkt op een donker jasje, daaronder een kanten blouse. Het meisje in de lijst naast haar glimlacht mysterieus, de ogen stralen vrolijkheid uit, ze heeft een klein oorbelletje in en een kettinkje hangt over haar witte jurkje. Het lange haar, met bovenop een speld met bloemetjes, verdwijnt achter haar schouders.

'Die zijn uit 1946,' zegt Ana. 'Maribel is daar zes jaar.'

'En die foto links, hoe oud is ze daarop?'

'Nee, dat ben ik, zie je dat niet? Ik ben daar net in de dertig.'

'Hoe oud was u toen uw dochter overleed?'

'Ik was toen vierenveertig jaar.'

'En was dat niet verschrikkelijk, uw enige kind verliezen? Sorry dat ik het vraag, maar...'

'Geeft niet.'

'En daarna uw man. Je hebt mensen, zeggen ze, die dan de lust om te leven verliezen.'

'Mijn man is veel later overleden. Samen hebben we het verlies van Maribel kunnen dragen. Zonder hem was dat veel moeilijker voor me geweest, dan weet ik niet wat er gebeurd zou zijn. Als hij toevallig ook in dat vliegtuig had gezeten, bijvoorbeeld. Er zijn echtparen die uit elkaar groeien als er zoiets dramatisch in hun leven gebeurt. Soms is het kind nog de enige binding in zo'n relatie. Of ze gaan verschillend met de dood om. Ik deed er langer over dan mijn man om het ongeluk te verwerken.'

'Was u extra getroffen omdat Maribel een meisje was? Elke moeder heeft toch het liefst een dochter?'

'Nee, zo wil ik niet denken. We hadden graag een zoon gehad, maar om gezondheidsredenen konden we geen kinderen meer krijgen. Het verlies van een kind is vreselijk, of het nou een zoon of een dochter is. Het hoort niet. Kinderen rouwen om hun ouders, na het liefst tientallen jaren van samenzijn. Niet andersom. Slechts achttien jaar hebben we van Maribel kunnen genieten en net toen ze uitvloog vertrok ze voor eeuwig. Maar we besloten al snel dat we juist die achttien jaar meer dan ooit zouden koesteren. Dat dat het mooiste was wat ons ooit in het leven is overkomen. Maribel was het liefste kind op aarde. Ze verliet ons om haar droom te vervullen. We weten wat er met haar is gebeurd; ze is niet vermist of zo, ze is niet door een misdrijf om het leven gekomen. Ze heeft niet geleden. Toen ze haar vonden had ze een glimlach op haar gelaat; ze ging dood zoals ze altijd geweest is, gelukkig, dromend, lief. Dat is onze Maribel en zo hebben we haar de rest van ons leven met ons meegedragen. Josep María, mijn man, en ik, we zijn juist naar elkaar toegegroeid. We waren allebei gelukkig in ons huwelijk, op ons werk, in ons leven. Dat moesten we ons niet door eeuwige rouw en wroeging laten afnemen. Maribel zou ons daarin niet hebben herkend. Wij waren blije ouders, zei ze ons vaak. Dat vond ik een mooi compliment. Blije ouders. Meer hoefde ik niet te horen. Ik geloof niet erg in spirituele zaken, maar ik ben ervan overtuigd dat Maribel altijd bij ons is geweest. Niet als een boze geest, hoor; nooit hebben we ook maar iets vreemds in huis gemerkt, terwijl we haar kamer toch altijd intact hebben gehouden. Er zijn mensen die de dood van een dierbare de rest van hun leven als een zware last meedragen. Wat heb je daaraan? Is het torsen van dat ondraagbare gewicht een manier om jezelf te pijnigen, om jezelf de schuld te geven voor de dood van de ander? Daarmee verlies je niet alleen dat ene leven, maar ook dat van jezelf. En van de mensen om je heen. Aanvankelijk was de pijn ook onuitstaanbaar groot, dat kun je aflezen van het grafschrift dat we toen voor Maribel hebben laten maken. Maar uiteindelijk heb ik goed en gelukkig geleefd. Nu is het ook wel genoeg geweest, maar meer omdat mijn lichaam protesteert, niet de geest. Ik kijk ernaar uit om ergens, waar dan ook, Maribel weer te ontmoeten. Het is er tijd voor, ik ben er klaar voor. Dat zou ik veertig jaar geleden niet zijn geweest. En Josep María wacht ook op me, hè? Da's ook niet onbelangrijk.'

Ana klapt het eerste album open. Foto's van Maribel. De eerste is dezelfde als die op het tafeltje in de hoek staat. Daarna enkele beelden als tiener, steeds poserend voor de fotograaf. Geen straatbeelden of andere impressies die de tijdsgeest weerspiegelen. Foto's die ook nu gemaakt zouden kunnen zijn, met slechts verschillen in kleding en, soms, het kapsel. Heel veel foto's heeft ze niet. Het zijn sprongen van jaren in het korte leven van een meisje.

Dan slaat ze een blad om en is de wereld anders, ruimer en lichter. Buiten, en niet in een studio. Maribel staat boven aan de trap van een vliegtuig, voor een open deur. Ze heeft een rond mutsje op, een lok haar springt speels opzij, alsof hij zo wil wegvliegen. De lange, vormloze rok begint hoog boven de heupen, een riem houdt hem strak rond het ranke middel. Daarboven ziet Maribel er, voor een stewardess in die tijd, opvallend losjes uit. Ze heeft haar jasje uitgedaan en draagt een witte blouse die een flink deel van haar hals laat zien. Ze heeft de mouwen opgestroopt, het moet een warme dag zijn geweest. De onderbenen van Maribel zijn nog net te zien op de foto, haar voeten niet. Rechts op de trap zijn de eerste letters van Aviaco te lezen.

'De maatschappij had een eigen fotograaf, die ons na haar dood verschillende foto's van Maribel heeft geschonken. Hij maakte foto's voor reclames, voor folders van Aviaco, voor advertenties in tijdschriften; en zij was natuurlijk een waardig model om in de etalage te zetten. Uit respect hebben ze haar foto's nooit gebruikt. Alleen bij dit interview, maar toen leefde ze nog. Kijk...'

Ana Bernal haalt een oud tijdschrift voor aan boord tevoorschijn, uit de zomer van 1958. Er staat een kort gesprek in met Maribel en twee van haar collega's. De kop: 'De beschermengelen van de reizigers in het vliegtuig.'

'De anderen vertellen iets meer, want zij zijn meer ervaren,' zegt Ana, 'maar kijk eens naar dit antwoord van mijn dochter.'

Miguel neemt de folder in zijn handen. 'Waarom vinden jullie dit beroep leuk?' vraagt de journalist. Maribel: 'Dat weten we niet. Misschien om de illusie, een beetje infantiel, ons als een vogel te voelen.'

Miguel slaat de pagina om. Hij leest hoe een collega van Maribel vertelt dat er regelmatig kinderen alleen reizen. 'Ze worden gelijk vriendjes met ons omdat we voortdurend voor hen zorgen.'

'En zijn er weleens amoureuze toenaderingen van de passagiers?' vraagt de journalist. Ana María, de oudste, begint te blozen, zo staat er geschreven. 'Nou en of. De reis, hoe kort hij ook is, geeft genoeg tijd voor hoffelijkheden. Anderen maken kruiswoordpuzzels.'

Miguel moet lachen.

'Iets leuks?' vraagt Ana.

'Ja. Over mannen. De een probeert een stewardess te versieren, de ander maakt kruiswoordpuzzels... Had Maribel een vriend?'

'Nee. Ze hadden het liefst stewardessen die vrijgezel waren, zodat er niet iemand thuis op hen zat te wachten. En zo konden ze Maribel eenvoudig naar Madrid overplaatsen.' De ober legt de folder in het album. Als hij weer een blad omslaat verschijnt een formelere Maribel, nu met haar jasje aan. Naast haar drie mannen, die alle drie piloten lijken te zijn.

'Dit was haar vaste team de eerste maanden. Naast haar loopt de piloot, maar die was er die dag niet bij. En de copiloot ook niet; voor hem was net een nieuwe in de plaats gekomen, een jonge jongen.'

Miguel staart gebiologeerd naar de foto. Het beeld laat hem niet los.

'Ze lijkt ouder hier,' zegt hij.

'Ja, dat komt door het pak dat ze aanheeft, denk ik. En omdat ze naar de grond kijkt. Het is een van de weinige foto's waarop Maribel niet lacht. Ze was gespannen die dag, het was een van haar eerste vluchten. Zoiets voelt toch raar. En dan die militairen naast haar, in uniform. Het maakt het allemaal nog serieuzer. De vleugel die je ziet was van een transporttoestel, een Bristol. Maar ze vervoerden ook passagiers. Vier maanden na Maribels dood stortte ook dit vliegtuig neer, op Menorca. Er viel gelukkig maar één dode.'

Als Miguel de bladzij wil omslaan legt Ana een hand op zijn arm.

'Dit was de voorlaatste foto.'

Ze haalt haar hand weer weg, Miguel klapt de pagina om. Het laatste beeld is een grote begrafenisauto met daarachter honderden mensen. Er is veel te zien, de ober neemt de foto langdurig in zich op. Vooraan de imposante wagen, met een stevig kruis op het dak. Dan de mensen. Achter de auto lopen mannen in lange jassen, hun stropdassen zijn net zichtbaar. De vrouwen staan op de stoep en kijken toe. Vervolgens bekijkt Miguel de achtergrond. Een dubbeldekker. De platanen zijn bijna al hun blad verloren, er staan mensen op de balkons, de zon zorgt voor tegenlicht via het dak van een geparkeerde auto.

'Dat is hier! Op de kruising!' Hij roept het uit. 'Kijk, het restaurant. Soley, het staat boven de luifel. Ongelooflijk.'

Ana knikt, ze glimlacht. 'Het is een foto die in de krant heeft gestaan,' zegt ze, 'de dag na de begrafenis. Hierin staat het verhaaltje, over wie er allemaal bij waren...' Ze overhandigt Miguel het tweede album. Hij kijkt op zijn horloge.

'Neem het maar mee, als je wilt,' zegt Ana, 'het zijn allemaal krantenknipsels uit die tijd, over de ramp. Ik heb je het verhaal al goeddeels verteld, maar misschien ben je nieuwsgierig geworden... Wil je het thuis inzien?'

'Ja, señora Ana, graag.'

De jonge ober staat op.

'Ik blijf zitten als je het niet erg vindt,' zegt Ana. 'Trek de deur maar achter je dicht.'

'Zal ik doen.'

Hij doet een paar passen.

'Ik heb nog één verzoek, Miguel.'

'Ja?'

'Overmorgen is het 25 februari. Op die dag, in 1940, werd Maribel geboren. Elke maand sinds 1958 zoek ik haar op, en ik heb geen verjaardag van haar gemist.'

'Waar?'

'Bij haar graf, op de Montjuïc.'

'O ja, natuurlijk. Sorry.'

'Geeft niets. Ik heb een vaste taxichauffeur die me er altijd naartoe brengt en me twee uur later weer komt ophalen. Mercedes, mijn huishoudster, blijft dan bij me, maar ze kan nu niet. Zou jij me maandag willen vergezellen? Zoals vandaag, tussen je werkuren door?'

'Wanneer u wilt, ik ben maandag vrij.'

'Om elf uur dan. Ik zorg dat de taxi voor de deur staat, de chauffeur brengt me wel naar beneden.'

'Ik zal er zijn, señora Ana.'

De ober loopt de gang in. Ana hoort de deur.

'Miguel?'

'Ja.'

'Help me toch maar even overeind.'

De jongen komt teruggelopen, het album onder zijn linkerarm.

'Heb je nog twee minuten?' vraagt Ana. 'Ik wil je nog één ding laten zien.'

HOOFDSTUK 21

Na de relatieve middagrust was het vliegveld van Barajas een heksenketel geworden. Rafael Castillo verbaasde zich weer over het feit dat bijna niemand stilstond en iedereen door elkaar liep, vaak met haast, zonder dat hem duidelijk werd wat hun precieze doel was. Mensen die van buiten kwamen schudden de druppels van hun jassen en hoeden; sinds een uur regende het. Even was hij buiten geweest om aan de benauwdheid van de door sigarettenrook bedompte lucht te ontsnappen, om zijn gedachten op te frissen, om de vermoeidheid en spanning door de kou uit zijn lijf te laten verdrijven. Het was koeler geworden, soms daalden de regendruppels zo traag dat het sneeuwvlokken leken. Het vliegverkeer had er ogenschijnlijk geen last van, het ene na het andere toestel arriveerde, van de Canarische Eilanden, uit Oran, Lissabon en eentje helemaal uit New York. Dat laatste was een spektakel waarnaar Rafael met open mond had gekeken. De aankomsthal had zich gevuld met tientallen kakelende mensen. Alsof ze bekenden waren raakten ze met elkaar in gesprek. De meesten waren goed gekleed, en er stonden ook chauffeurs te wachten, herkenbaar aan hun petten. Toen een groter toestel dan normaal voor de terminal verscheen, gingen de mensen op hun tenen staan en vielen de stemmen even stil. Rafael fantaseerde over hoelang die reizigers waren weggeweest. Ook vijf jaar? Of langer misschien. Ooit arm op een boot naar Amerika vertrokken, nu rijk met het vliegtuig terug. Al kon hij zich dat niet voorstellen: je zou gek zijn als je het vrije Amerika voor het bekrompen Spanje zou verruilen. Bij de binnenkomst van de passagiers explodeerde de hal in een feest van kreten, kussen en omhelzingen. Sommigen moesten dringen en worstelen om bij hun geliefden of bekenden te komen. Rafael Castillo had enkele stappen naar achteren gedaan en overzag de vrolijke chaos die voor hemzelf ook steeds dichterbij kwam.

Het was zes uur, het toestel van de meisjes werd over een halfuur verwacht. Ondanks de afleiding van de andere vluchten waren de uren tergend langzaam verstreken. Telkens als hij een groep reizigers zag arriveren bekroop hem de jaloezie en het ongeduld. Hij was, samen met de zwager van de markiezen en vier of vijf andere personen die op de vlucht uit Vigo wachtten, een vaste bezoeker van de balie van Aviaco geworden. Het meisje van de maatschappij nam het hun niet kwalijk en bleef hen geduldig te woord staan. Drie uur zou het toestel vertrekken, hadden ze hun aanvankelijk beloofd, maar pas even over half vijf had de grondstewardess de verlossende woorden gesproken. Alle passagiers waren aan boord, behalve één. Was er iemand die op tandarts Celso wachtte? Niemand reageerde.

Toen het aftellen eenmaal was begonnen, was de klok nog langzamer gaan lopen. Rafael voelde vlinders in zijn buik alsof hij weer verliefd was, bijna twintig jaar nadat hij Emilia in het dorp voor het eerst had gezoend. Hoe graag had hij Emilia nu even gebeld om haar te laten weten dat de meisjes nu echt onderweg waren...

Nooit zou hij Josefa en Esther meer laten gaan. Hij keek schichtig om zich heen, of anderen konden zien hoe nerveus en dolblij hij was. Hij rookte meer dan ooit, zijn vingers trilden als hij de sigaret naar zijn mond bracht. Praten met de andere wachtenden deed hij niet meer. Ze hadden elkaar alles al verteld, en dat was niet veel. Iedereen was vol van zijn eigen ongeduld, zijn eigen verwachtingen. Rafael zag hoe zenuwachtig de vrouw was die op haar zwager wachtte; de vrouw van de reiziger was de avond tevoren naar het ziekenhuis gebracht en stond op het punt van bevallen. Misschien was dat in de loop van de dag al gebeurd.

Vanaf zes uur dacht Rafael dat elk vliegtuig uit Vigo kwam. Maar zodra de toestellen naderden, hielp de naam van de maatschappij hem uit zijn droom. Eén keer slechts landde er een van Aviaco. Vanuit Barcelona, zei de eerste reiziger aan wie hij de herkomst vroeg. Het was donker geworden; de avond was vroeger ingevallen, de wolken waren zwart geworden, de regendruppels talrijker.

Kwart over zes.

Tien voor half zeven.

Vijf voor half zeven.

Het was rustiger, er verscheen al een tijdje geen vliegtuig meer. Via een andere deur zag Rafael mensen vertrekken, hij had geen idee wat hun bestemming was. Het interesseerde hem niet. Om hem heen stonden nauwelijks andere wachtenden meer.

Half zeven.

Hij hoorde het geraas van een toestel dat net geland was. Het draaide uit het donker naar de terminal. Iberia. Weer Iberia. Alsof het alleen maar Iberia was dat vloog.

Vijf over half zeven.

Tien over half...

Rafael keek naar de zwager van de markiezen. Die beantwoordde zijn blik met een bezorgde frons. Tijd om weer naar de balie te gaan? Rafael durfde het niet. Stel dat ze net op dat moment zouden aankomen? Hij bleef staan, echt lang kon het niet meer duren. Een troost was dat het voor de meisjes in het vliegtuig waarschijnlijk niet zo'n zich tergend traag voortslepende dag was geweest. Zij waren bezig aan een avontuur, al konden ze door het slechte weer vermoedelijk niet veel zien. De bergen misschien. En als ze laag vlogen de lichtjes van de stad waar ze de komende jaren van hun leven zouden doorbrengen. Van bovenaf moest Madrid een kleurrijke kermis lijken, met de bewegende rode en witte lampen van de auto's, die de slecht verlichte straten tot leven brachten met flitsen en dansende schaduwen. Morgen zou hij hun vanuit de wijk de vliegtuigen aanwijzen en zeggen dat zij in een van die dingen hadden gezeten en dat hij jaloers op hen was omdat hijzelf nog nooit had gevlogen. Toen ze klein waren hadden ze heel af en toe in Carballedo de lucht in gekeken als er een toestel van of naar Santiago overvloog.

Kwart voor zeven.

Zeven uur...

Mensen die op een ander toestel wachtten waren er niet meer. 'Ik ga wel even naar de balie,' zei de zwager van de markiezen, 'als u met z'n allen hier blijft en me snel waarschuwt als het toestel is geland...'

De rest knikte. Behalve de schoonzus van de toekomstige vader waren er de echtgenoot van een vrouw uit Valencia, de jonge vrouw en het kleine zoontje van een Madrileen, de vader en moeder van een koopvaardijpiloot en een chauffeur die op een oud-burgemeester uit Galicië stond te wachten. Af en toe hadden collega's van de bemanning naar de vlucht uit Vigo geïnformeerd. Ze vertelden dat de piloot hun baas was. De beste.

Na enkele minuten kwam de zwager van de markiezen terug, zijn gelaatsuitdrukking was veranderd, de ingehouden drift van het ongeduld was verdwenen, Rafael kon niet goed inschatten wat de indringende ogen nu uitstraalden. Ze waren wijder geopend, maar zagen niets, staarden naar buiten, naar de natte piste. Hij werd vergezeld door een man in het uniform van Aviaco die een papier op een houten klembord bij zich had.

‘Dit zijn de anderen,’ zei de zwager.

‘U wacht op de vlucht uit Vigo?’ vroeg de employé, ten overvloede.

Er klonk een zacht, instemmend gemompel, alsof iedereen van de aanblik van de zwager van de markiezen was geschrokken.

‘Zou ik van ieder van u mogen weten op wie u wacht?’

De mensen gingen rond de Aviaco-man staan en gaven de naam van de betreffende passagier op.

‘Die zijn allen aan boord,’ bevestigde de man. ‘Maar we hebben een klein probleem. Bijna een uur geleden is er het laatste contact geweest met het toestel. De piloot is een zeer ervaren commandant. Het vliegtuig was toen nog maar tien minuten verwijderd van Madrid.’

Hij pauzeerde.

Rafaels hart bonkte bijna zijn borstkas uit, hij kreeg geen adem meer. De man van Aviaco stond er ongemakkelijk bij; de chauffeur vroeg hem koel wat er nu te gebeuren stond.

‘Zoals ik u al zei,’ ging de employé verder, ‘is de piloot zeer ervaren. Niemand bij Aviaco heeft meer vlieguren dan luitenant-kolonel Calvo, bijna tienduizend in totaal. Waarschijnlijk heeft hij moeten uitwijken. De radio aan boord functioneerde niet goed, dat was de hele vlucht al zo. Maar hij is op schema over Salamanca gevlogen, dat is zeker. Om kwart over zes had hij via zijn telegrafist het eerste contact met de verkeersleiding in Madrid. Hij meldde dat alles in orde was, maar daarna hebben we niets meer gehoord.’

'Hoe kan een vliegtuig verdwijnen?' vroeg de chauffeur.

'Dat kan, dit is een groot land. Het kan zijn dat het nog gewoon ergens vliegt, maar zonder radio kunnen we het niet lokaliseren. De brandstof raakt ook langzaam op. Waarschijnlijk is het ergens geland. Dat zou ook in een weiland kunnen zijn, of op een weg. Of een klein vliegveld in de buurt. We hebben alle militaire bases en andere vliegvelden gewaarschuwd en hun gevraagd naar het toestel uit te kijken. De radio zal er melding van maken, zo komt het nieuws ook bij mensen in dorpen op de route, die het misschien hebben zien overvliegen. Ongetwijfeld is er binnenkort meer nieuws. Intussen nodig ik u uit plaats te nemen in een apart zaaltje bij de balie. Daar kunt u wachten op het nieuws dat het vliegtuig is gevonden en de bemanning en passagiers hopelijk niets mankeert.'

Rafael Castillo keek naar buiten. Hij hoorde het gebrom van een vliegtuig, even later kwam er een op hoge snelheid voorbij. De lichten trokken een natte streep door het donker.

'Meneer?'

De man van Aviaco pakte hem bij zijn arm.

'Gaat u ook mee?'

HOOFDSTUK 22

De jonge Chileen zegt dat hij geen deken nodig heeft. Hij is achter in het vliegtuig komen staan. Het is rustig aan boord, voorin zijn de mensen in gesprek met elkaar, op de achterste rij zijn de twee zusjes tegen elkaar in slaap gevallen. Handelsreiziger Ángel heeft zijn ogen ook gesloten. De drankjes en broodjes heb ik al een halfuur geleden rondgebracht. Niemand heeft gemorst, de vlucht is redelijk rustig tot nu toe, al is de bemanning niet uit de cockpit geweest.

Ik vraag de Chileen hoe hij eigenlijk heet, want op de lijst staan drie voornamen, Manuel Ignacio Jorge.

'Zegt u maar Ignacio. Of eigenlijk Nacho.' Hij lacht breed; zijn tanden zijn aanlokkelijk, verblindend, maar misschien komt dat door zijn iets bruinere huid. Als verklaring voor zijn gezonde teint gaf hij dat het al bijna zomer is in Montevideo, waar hij de laatste maanden woonde, en de lange reis op de boot had zich ook goeddeels onder de zon afgespeeld. Wij zijn allemaal heel bleek, de zomer is al weer lang geleden, en ik mag als stewardess niet te veel in de zon. Ze zien bij Aviaco vrouwen liever met een blanke, licht opgemaakte huid.

'En zeg maar jij tegen me, hoor,' lach ik hem toe. 'Zo oud ben ik niet.'

'Vierentwintig, schat ik, net zo oud als ik?'

'Nee, achttien.'

'Dat geloof ik niet.'

'Noem me nu niet oud, alsjeblieft. Ik weet dat dit pak me niet flatteert.'

'U bent prachtig in het pak. Sorry, je...'

'Dank je.'

Ik bloos niet meer wanneer ze me zoiets zeggen. Ik heb het al veel gehoord, dit eerste halfjaar. Van oudere mannen, maar ook van jongere als deze Chileen. Het valt me op hoeveel twintigers er met het vliegtuig reizen, alsof er een nieuwe generatie aan het opstaan is, net voor de Burgeroorlog geboren. Ze moeten geen makkelijke jeugd hebben gehad, en hebben misschien ouders en familieleden verloren. Of ze hebben vriendjes vijanden zien worden vanwege de politieke ideeën van hun ouders. Nu zijn het jonge, ondernemende mensen. Misschien dat zij Spanje erbovenop kunnen krijgen. Ze zijn minder traditioneel dan de ouderen, of lijken dat in ieder geval. En ze zijn brutaal. De Chileen is nog beleefd in hoe hij zijn bewondering verwoordt. Dat hebben Chilenen en Argentijnen op ons voor, alsof ze een ouderwetser Spaans spreken; verzorgder ook, met meer woorden, mooiere adjectieven die wij in Spanje niet meer gebruiken. Ze zingen een beetje als ze praten. Ook deze Ignacio is een genot om aan te horen.

'Ben je getrouwd?' vraagt hij.

'Ben je mal, op mijn leeftijd?'

'In Chili trouwen de vrouwen jong. Te jong, helaas.'

'Hoezo? Iedereen doet het toch wanneer hij wil?'

'Niet altijd, niet bij de traditionele families. Daar wordt een goede man voor de dochters gezocht, een uit dezelfde kringen. Hier dan niet?'

'Nou, niet bewust, denk ik.' Ik heb geen vriendinnen die getrouwd zijn en ben nog nooit op een bruiloft geweest, mijn neven en nichten zijn een stuk jonger dan ik. Al wordt zoiets wel beïnvloed door waar je woont, in welke kringen je je begeeft. Je hebt arbeiderswijken en er zijn de buurten van rijkere mensen. Op de scholen is het net zo. En het immense platteland. Een boerenzoon zal niet snel met een stadsmeisje trouwen, denk ik.

'En jij?' vraag ik op mijn beurt. 'Ben jij dan getrouwd? Ángel zei daar vanmiddag toch iets over?'

'Nee.' Zijn gezicht betrekt, hij slaat zijn ogen neer, begint te wiebelen op zijn voeten. Van de trotse, zelfverzekerde wereldreiziger van zojuist is weinig meer over. Hij draait zich half om, op de weg terug naar zijn plaats.

'Is er iets?' vraag ik hem.

Meer ervaren stewardessen noemen het vliegtuig ook de biechtstoel. Vooral op langere reizen vertellen passagiers hun levensverhaal, of een moment daaruit, een herinnering aan grote vreugde, droefenis of zonde. Ze erkennen ontrouw, vertellen over de haat jegens hun ouders of de ernstige problemen met hun kinderen, spreken onvervulde wensen uit... Alsof ze denken dat zo hoog in de lucht niemand ze kan horen, behalve de stewardess en een enkele medepassagier. De tijdelijke kennissen die na de landing weer uit hun leven verdwijnen, vluchtiger dan de priester in de kerk, die elke week de biecht afneemt. Wat in de lucht gezegd wordt blijft in de lucht, denken de passagiers, maar onder stewardessen worden de mooiste en sterkste verhalen natuurlijk doorverteld; ze worden opgesmukt en soms keert een verhaal bij dezelfde stewardess terug met een volstrekt ander verloop. Ik vermoed dat ik op het punt sta mijn eerste biecht af te nemen. Ik heb er wel zin in, ik bemerk dat ik wel wat meer van de Chileen wil weten en volgens mij wil hij ook wel. Hij aarzelt.

'Je kunt het rustig zeggen hoor... Je vriend slaapt.'

Ignacio Tagle draait zich weer naar mij.

'Ik heb Ángel niet het volledige verhaal verteld, dus zeg alsjeblieft niets.'

'Je verhaal blijft hier in de lucht, op achtentwintighonderd meter hoogte,' probeer ik hem het laatste duwtje te geven.

'Ik was stapelverliefd, in Santiago, in Chili.'

'Nou, mooi toch? Ik ben het nooit geweest.'

Ik spreek de waarheid. Tot nu toe hebben de jongens me nauwelijks geïnteresseerd. Ik was met school bezig, en met mijn droom stewardess te worden. Geen tijd voor andere zaken. Ik moest Engels en Frans leren, daar stak ik uren extra tijd in. Mama zei me weleens dat ik wat meer naar buiten moest, afspreken met mijn vriendinnen buiten school om. Maar volgens mij was ze ook wel blij om te weten dat ik vrijwel altijd thuis was. Je enige kind, dat laat je toch niet snel ontsnappen. Papa was dik tevreden natuurlijk, dat ik nooit met jongens kwam aanzetten. Hij vroeg er weleens naar, plagerig. Nu vraagt hij het nog steeds. Nu is het anders, natuurlijk, hij kan niet meer van dichtbij zien wat ik meemaak. Maar ik heb niets te verbergen, zoals ik het voorheen ook niet had. Het was ook onmogelijk natuurlijk, om op een meisjesschool jongens te leren kennen. Laat staan leuke jongens. Soms stonden ze op straat, groepjes van de jongensschool verderop, als wij naar buiten kwamen. Vriendinnen begonnen dan te giechelen, ik had er helemaal niets mee. Ik heb een jongen zelfs nog nooit een kus gegeven.

'Zij was mijn nicht,' werpt Ignacio het bommetje.

'Je nicht? Een verre nicht, zeker?'

'Nee, de dochter van mijn oom. Maar dat is niet het enige. Ze was zes jaar ouder dan ik. En getrouwd.'

Ik probeer niet te lachen. 'Een beetje gecompliceerd, hè?' Ik weet niet zo goed wat te zeggen. 'Dat is dus niet doorgegaan?'

'Ja, wel dus. Zij was ook verliefd op mij. En de familie ontdekte dat. We moesten vluchten om samen te kunnen blijven. Haar man wilde me villen. En mijn oom ook natuurlijk. Hoe ik dat had kunnen doen. Ik kreeg ook nog de schuld, maar wat kon ik eraan doen? Ik was al m'n hele jeugd verliefd op haar geweest, ze is zo ongelooflijk mooi. Zíj was getrouwd, zíj had er nooit aan moeten beginnen. Maar ze zou met me mee vluchten; ze koos voor mij.'

'Waarheen?'

'Naar Buenos Aires, zo ver mogelijk weg. Ik ging als eerste, zij zou later komen. Een lange busreis, over de Andes, door woestijnen. In steden ben ik uitgestapt, heb ik in hotels geslapen. Mendoza, San Luis, Rosario. Mijn vader had me geld meegegeven, hij was de enige die me begreep. Ik was doodsbang dat ik gevonden zou worden. Bij elk geluid op de gang of op straat werd ik wakker. Ik wilde zo snel mogelijk ver weg zijn, bij de andere oceaan. Buenos Aires is zo groot dat je er eenvoudig kunt verdwijnen, daar zouden ze me nooit kunnen vinden.'

'Hoe heet ze?'

'Yolanda.'

'Ah, mooie naam. En waar is ze nu?' Op het moment dat ik hem stel weet ik dat het geen goede vraag is. Of geen makkelijke. Ignacio slaat opnieuw zijn ogen neer.

'Ze is nooit komen opdagen. Het was een domme verliefdheid geweest, liet ze me via mijn ouders weten.'

'En jij?'

'Ik heb het nog een paar weken in Buenos Aires uitgehouden, maar ik begon de stad te haten. Van een paradijs werd het een hel. Terug naar Santiago kon ik niet, ik denk dat ze me vermoord zouden hebben. En ik durfde ook niet, ik schaamde me. Daarom wil ik nóg verder weg, naar de andere kant van de wereld.'

'Ja, dat kun je wel zeggen. Waarom Spanje?'

'Omdat het zo ver weg is, onbereikbaar. Wie reist er nou van Santiago naar Madrid? Ik wil definitief alles achter me laten. De reis met de boot is symbolisch daarvoor, en heeft ook helend gewerkt. Elke dag dat ik de zon in de oceaan zag ondergaan viel er een nieuwe last van me af, elke dag als ik hem zag opkomen verlangde ik meer naar mijn toekomst, mijn nieuwe leven. Toen ik eergisteren in Vigo aan wal stapte was ik een nieuw mens.'

'Nou, helemaal nieuw? Het doet je nog pijn, zo te zien.'

'Ja, omdat ik er helemaal niet meer over gepraat heb, de laatste maanden. Dit is voor het eerst. Daar zal ik ook aan moeten wennen, dat het me vaker gevraagd zal worden: wat ik hier doe, helemaal in Spanje? Maar ik verzin wel wat anders; ook tegen jou stond ik net op het punt niets te vertellen, of een beetje te liegen. Maar het lukte me niet.'

Ik pak hem licht bij zijn schouder. 'Soms is het goed ergens over te praten.' Het is een domme, loze opmerking, maar ik ben niet bepaald een ervaringsdeskundige. 'Zij zal, op de een of andere manier, altijd een deel van je leven blijven. Ze zal moeilijk te vergeten zijn. Ben je nog verliefd op haar?'

'Nee. Ook daar is de boottocht goed voor geweest.'

'Niet een beetje?'

'Nee, dat is voorbij. Ze heeft gekozen. Ze heeft mijn hart gebroken en dan is er voor verliefdheid geen plaats meer.'

'En wat ga je nu doen?' Ik verander maar van onderwerp, terugkijken zal niet veel zin hebben.

'Ik ga studeren in Madrid. Filosofie. En letterkunde.

Als het volgende studiejaar begint, na de zomer. Tot die tijd probeer ik te werken en een woning te vinden. Weet jij iets?'

'Ik woon pas net in Madrid,' zeg ik. 'Ik kom uit Barcelona. Twee weken geleden hebben ze me overgeplaatst.'

'En heb jij geen kamer over?'

Ik moet lachen. 'Nee, het is een flat van Aviaco, voor stewardessen. We zijn met vier vrouwen – geen plaats voor mannen.'

Dat laatste heeft een dubbele betekenis. Niet alleen Aviaco heeft ons liever vrijgezel, ook de stewardessen zelf waarschuwen me voor de mannen. Niet omdat ze gevaarlijk zijn of zo, maar het is gewoon niet te combineren. Dit werk en een man... Mannen houden er niet van als hun meisje vaak weg is. Het is ook eigenbelang, zeggen de ervaren meiden me. Een man houdt je aan de grond, niet alleen omdat hij dat wil, ook omdat je zelf gaat twijfelen. Je gaat hem missen. Om nog maar niet te spreken van kinderen. Een man kan wel – zei Ana me, de leukste van mijn huisgenotes –, maar af en toe, voor het plezier. Word nooit, maar dan ook nooit verliefd, waarschuwde ze me. Verliefdheid is funest: je krijgt minder zin om te vliegen, elke reis is een onderbreking van de nieuwe idylle. Niet alleen de man wordt jaloers, jijzelf ook. Je vraagt je af wat hij in de stad doet als jij op reis bent. Verliefd op een lid van de bemanning, dat zou nog net kunnen, maar beter van niet. Niet het werk mengen met persoonlijke gevoelens.

Ik ben zelfs niet in de verleiding gekomen. Iedereen is altijd veel ouder dan ik, de bemanning, de passagiers... Sommigen hebben avances gemaakt, wilden 's avonds in de stad van aankomst afspreken. Ik heb ze altijd vriendelijk weggewuifd. Ik wil ook geen slechte naam krijgen, dat ze gaan denken dat die Maribel wel makkelijk is... Ik ben jong, piloten proberen me uit, ik heb dat wel in de gaten. Het blijven mannen. Militairen. Ze zijn gewend de baas te zijn, over alles en iedereen. Ook over de vrouwen. Toch proef ik ook respect. Dat ik dit zo jong al zo goed kan doen. Dat is het enige waar ik aan denk, niks en niemand mag me nu in de weg staan. Ik wil hogerop, ik wil verder vliegen. Overzee, lange reizen, andere werelden. Misschien wel Santiago de Chili, wie weet.

'Als jij er ook pas net woont, zouden we Madrid samen kunnen ontdekken.'

De opmerking van Ignacio Tagle verrast me. Ik dacht dat hij echt op zoek naar een kamer was, niet iets anders. Hij wil zijn nicht snel vergeten, lijkt het.

'Ken je niemand daar?' vraag ik. Ik win tijd, wil niet direct nee zeggen. Ook ik ben maar alleen in Madrid en we zijn niet vaak met alle bewoonsters tegelijk thuis.

'Wat vrienden die ik op de boot heb gemaakt. Chilenen én Spanjaarden. Zij gaan dit weekeinde met de trein naar Madrid. Ze zeiden dat ik met hen mee moest gaan, dat het te slecht weer was om te vliegen. Maar na aankomst in Vigo wilde ik zo snel mogelijk verder; mijn reis heeft al lang genoeg geduurd.'

'Dan kun je met hen afspreken.'

‘Het zijn allemaal mannen.’

‘Nou en? Je zult wel even genoeg van vrouwen hebben.’

Nu twijfelt hij. Hij is een rappe prater, maar dit onderwerp blijft moeilijk voor hem. Hij slikt en hervindt zich snel. ‘Ik vind vrouwen prachtig. En jou helemaal. Ik zou je weleens zonder uniform willen zien.’

‘Pardon?’

‘In je eigen kleding, bedoel ik.’

‘Oef, dat gebeurt niet zo vaak. Ik blijf meestal binnen als ik niet vlieg. Soms doe ik boodschappen, dat is alles. Madrid is een harde stad, groot, massaal en druk. Ik mis er de zee. In Barcelona kunnen we ernaartoe lopen.’

‘Als we een keertje afspreken beloof ik je verhalen van mijn maanden op zee te vertellen. Dan zal het net zijn of je hem hoort ruisen, of je de golven ziet, de meeuwen hoort krijsen.’

Hij heeft me beet, zijn woorden zijn te aanlokkelijk, hij moet een heerlijk verteller zijn, de zangerige taal golft mijn oren binnen.

‘Oké, één keertje dan. Na het nieuwe jaar, want deze maand heb ik het heel erg druk. En met de feestdagen ga ik naar mijn ouders, in Barcelona.’

‘Hoe vind ik je?’ De Chileen fleurt op, de brede lach is terug; de witte tanden en de donkere ogen glinsteren.

‘Straks, na de landing, geef ik je een adres.’

‘Dank je wel,’ zegt Ignacio Tagle. Hij kust me zacht op mijn rechterwang.

HOOFDSTUK 23

Ana Bernal schuifelt voor Miguel uit door de lange, donkere gang. In het voorbijgaan sluit ze de voordeur die de jongen heeft laten openstaan. Ze lopen langs het toilet en de bezemkast. Aan het einde opent zich een kleine vestibule, een ruimte zonder ramen waar twee stoelen staan, een kastje met droogbloemen en aan weerszijden de deuren van twee kamers. Ana loopt naar de deur achterin, doet hem behoedzaam open alsof ze niemand wakker wil maken, en knipt het licht aan. De oude hanglamp geeft niet veel licht; de vitrages zijn gesloten maar de luiken geopend, zodat de middagzon toch een straal licht naar binnen kan werpen.

Miguel stapt de drempel over en komt in een meisjeskamer terecht. Ana ziet hoe hij aandachtig rondkijkt.

Op een van de muren hangt een vergeelde kleurenposter. Ava Gardner in het groot, de half ontblote borsten ver vooruit in een gewaagde jurk. Een man naast haar op de foto; JAMES MASON staat erboven. Op de achtergrond een stierenvechter. Onderaan een titel in vette, oude letters: *Pandora and the Flying Dutchman.*

'Het was de favoriete film van Maribel,' zegt Ana als Miguels blik op de poster blijft hangen. 'Hij is hier opgenomen, in Tossa de Mar, aan de Costa Brava. Die stierenvechter, Mario Cabré, was een van de vele veroveringen van Ava Gardner.'

'Sorry, maar het zegt me niets,' zegt Miguel.

Ana kijkt naar hem op en begrijpt het. 'Dit waren de jaren vijftig. Via films konden we uit Spanje ontsnappen. Hier werden ook films gemaakt, maar dat stelde niets voor. Films die uit Hollywood kwamen, althans de films die we mochten zien en die niet door Franco werden verboden, daarmee droomden we weg, ver weg. Deze poster, die mocht hier ook niet, met de borsten van Ava Gardner. Op de Spaanse posters was alleen haar gezicht te zien. Mijn man nam hem ooit voor Maribel mee. Ik weet niet precies meer waarom de film haar zo bekoorde. Het avontuur, denk ik; een vrouw die op een strand van een klein, onbekend dorpje aanspoelt en verliefd wordt op een Nederlander. Een femme fatale trouwens, ze had helemaal niets van Maribel. Maar misschien heeft Maribel altijd wel van zoiets gedroomd; verre vluchten maken en in een exotische plaats een leuke man ontmoeten. Ik weet het niet...'

Op het hoge bed met ijzeren spijlen liggen twee poppen uit andere tijden, prehistorische barbies. Aan een van de wanden staat een kleine boekenkast met stoffige werken. Aan een kapstok aan de muur een klerenhanger met een mantelpakje, ernaast het mutsje van een stewardess.

De tijd heeft vat gekregen op de gordijnen, de plavuizen op de vloer zijn ruw van slijtage. De kamer ruikt muf.

Miguel knippert met zijn ogen.

'Wat denk je hiervan?' vraagt Ana.

Ze heeft nooit veel mensen de kamer van haar dochter laten zien. Dit is haar kapelletje geweest, het heilige der heiligen, de plaats waar de tijd noch de buitenwereld ooit is binnengedrongen. Op 4 december 1958 kwamen de klokken hier tot stilstand. Sommige mensen hebben het nooit begrepen, waarom zij de kamer intact hield. Josep María ging ermee akkoord, maar niet van harte. Mercedes mocht hem af en toe binnentreden om wat spullen af te stoffen, maar niet vaak. Familie had er moeite mee en kwam er liever niet. Ana's zus vond het een kamer zonder leven. Maar Ana's zwager voelde er juist een onbestemde geest, iets waarin hij nooit geloofd had. Hij betrad de kamer maar één keer. Een dunne, knokige arm had hem bij de nek bekneld, vertelde hij. Hij snakte naar adem, keek achter zich zonder iets te zien. De poppen op het oude bed, met een witte, geborduurde sprei onder hun roerloze benen, keken hem indringend aan. Uit een hoek kwam een gammel vliegtuig op hem af. Aan het plafond hingen sterren zonder licht.

Ana had niets van die vrees begrepen. Maribel was nooit teruggekomen; hier was geen dolende geest, slechts de herinnering aan een jonge vrouw die nog een meisje was. Het heiligdom van een dochter, de herinnering aan een vorig leven, het voorportaal van de droom om te vliegen, op de lage tweede verdieping van een flat. De bunker van de verbeelding, de plaats waar Maribel zich urenlang had opgesloten om haar talen te leren, om zich voor te bereiden op de toekomst die ze voor zichzelf had uitgestippeld. Een kleine moestuin waar ze haar eigen geluk had geteeld, geluk dat ze naar haar andere wereld had meegenomen.

'Ik vind dit wel moeilijk,' zegt Miguel.

'Hoezo?' Ana verbaast zich. De jonge ober heeft haar tot nu toe trouw gevolgd in haar relaas, hij was nieuwsgierig en begripvol. 'Moeilijk?'

'Ja. Dit is de kamer van uw dochter, niet? Van Maribel. Ik ken haar nu al een beetje, maar dit is toch anders.'

'Wat is anders?'

'Nou... Zij was een verhaal, een schilderij. De foto's zojuist, die brachten haar ineens heel dichtbij. Maar op die foto's leefde ze en was ze een mooi meisje.'

'Ja. En?' Ana begrijpt hem niet. Althans, ze weet niet waar hij heen wil.

Miguel hapert. 'Ik weet niet hoe ik het moet zeggen. Ik weet niet wat de dood is, señora Ana. Ik heb hem nooit gezien. Mijn ouders leven, mijn opa's en oma's ook nog, op één na, maar die opa mocht ik niet zien toen hij overleden was. In deze kamer... Jezus, het is moeilijk hoor. Hier voel ik iets. De dood... Heeft hier ooit nog iemand geslapen?'

'Nee, natuurlijk niet. Dit is de kamer van Maribel geweest en dat zal het altijd blijven. Ik heb niets verplaatst. Wel dingen aangeraakt; ik heb boeken en schriften gelezen, ik heb hier ontdekt waarom ze stewardess wilde worden. Maar dit is haar kamer. Ze was keurig, ze liet nooit iets slingeren, geen schrift, geen sok, geen truitje. Ik heb niets hoeven opruimen toen bleek dat ze nooit meer zou thuiskomen. Zo was de kamer eind 1958, zo is hij nog steeds.'

'Maar daarom juist.' Miguel zoekt naar de woorden. 'Mijn huis, dat van mijn ouders, dat is behoorlijk ouderwets. Ik denk dat de meubels nog dezelfde zijn als twintig jaar geleden. Maar er is geleefd in dat huis, we hebben muren beschadigd, de vloer bevuild, we hebben er ruziegemaakt, televisiegekeken. Het is een oud huis, maar met leven. Hier, in deze kamer, is geen leven meer. Ik weet het niet, misschien heeft u hier het leven van Maribel willen behouden, alsof er nooit iets veranderd is... Maar meer dan het leven proef ik hier de dood. Omdat u mij het verhaal hebt verteld, natuurlijk, anders had ik het niet in de gaten gehad.'

Ana overdenkt de woorden van de jongen. Geen woorden voor een achttienjarige. Of was hij negentien? Sprak Maribel al zo, op haar leeftijd? Ja, toch wel. Ze was wel wijs.

Was ze nou dood in deze kamer, of leefde ze nog? Ana had af en toe aan de rand van het bed gestaan. Het was leeg, Ana had er gesproken, de poppen aangekeken, het kussen beroerd. Maribel is niet teruggekeerd, dat weet ze ook wel. Ze zal nooit terugkeren. Maar Ana is er niet toe in staat de kamer op te geven en daarmee deze eeuwige duisternis te ontheiligen. Ze heeft de kamer nergens anders voor nodig. Hier kan ze zichzelf terugtrekken als het nodig is. Dit is anders dan het graf. Op de begraafplaats ligt Maribel tussen duizenden anderen en is haar lichaam onder het marmer verteerd. Een graf is leeg, een koud omhulsel voor een leven dat niet meer is. Maribel had nooit geweten waar haar graf zou zijn. Natuurlijk niet, daar denk je niet aan op je achttiende. Eigenlijk ligt haar graf op de knie van De Dode Vrouw. Het einde. Haar einde. Hoog boven de aarde, onbereikbaar voor de meesten. Maar deze kamer hoort daarbij. Was de berg haar dood, dan is deze ruimte haar leven. Hier, en nergens anders, heeft ze die achttien jaar gewoond. Enkele weken in Madrid, meer niet. Misschien was dat wel een slecht voorteken geweest. Ze had zichzelf voor het eerst werkelijk van haar wortels losgerukt en haar kamer verlaten. Maar de dagen dat ze terugkeerde naar Barcelona was het weer Maribels schuilplaats. Ook toen had Ana er nooit iets aan veranderd. Ze had het altijd gelaten zoals het was, wachtend op een terugkeer na de reis.

'Ik begrijp het, Miguel. Misschien heb ik je te veel overrompeld met dit alles. Weinig mensen hebben deze kamer gezien. Gisteren bracht je me voor het eerst thuis, en nu sta je al in dit heiligdom. Je gaf me vertrouwen en begrip. Je bent een man, je bent Maribel niet, maar je bent achttien, of was het negentien?'

'Negentien.'

'Daarom. Daarom moest ik ineens zo aan Maribel denken toen ik je zag. Vijftig jaar geleden kreeg ze al aandacht van de obers van Soley... Sorry, ik heb je hierin gesleept, je was niet eens voorbereid.'

'Dat geeft niet, señora Ana. Het is meer het idee. Het is donker hier, oud. Het doet me aan films denken. Of het spookhuis in het pretpark. De spanning, het idee dat er elk moment iets gebeuren kan.'

'Hier gebeurt niets, Miguel. Er is in meer dan veertig jaar niets voorgevallen. Geen mirakel. Ook geen nachtmerrie.'

Anderen hebben er altijd meer moeite mee dan Ana zelf. Voor haar is deze kamer een relikwie, maar zonder de spookachtige lading die bezoekers er in aantreffen. Ook Miguel nu. Het verbaast haar. Ze dacht dat de jongen er onbevangen tegenover zou staan. Maar net als bij anderen blijkt de drempel er een naar een andere wereld die ze liever niet leren kennen. Niet nu, in ieder geval. De wereld van de dood, van een herinnering, van iets wat was en nooit meer zal zijn.

Ana Bernal doet het licht uit. 'Sorry,' zegt ze nogmaals.

'Het is niet erg,' herhaalt Miguel.

'Wil je me nog naar het kerkhof vergezellen?'

HOOFDSTUK 24

Emilia Gesteira hoorde een sleutel schrapend draaien in het slot van de voordeur. Ze sprong op. Carmen was op de bank in slaap gevallen, Teresa lag in haar bed. Emilia keek op de klok, het was bijna middernacht.

Rafael sloot de deur zacht achter zich. Emilia hoorde geen meisjesstemmen, noch lichte voetstappen of het geluid van een koffer die werd neergezet. Ze bleef in de gang staan, durfde niet verder te lopen. Om de hoek verscheen Rafael. Hij zag bleek, maar dat was niet het meest vreemde. Zijn ogen stonden anders dan Emilia ooit gezien had. Hij probeerde iets te zeggen, maar er kwam geen geluid uit zijn keel. Hij sloeg zijn ogen neer en toonde zijn hangende handpalmen, alsof hij er ook niets aan kon doen.

'Rafael? De meisjes?' Emilia fluisterde, maar in de stille gang dreunden haar woorden tegen de wanden, het plafond en de plavuizen vloer.

Rafael Castillo haalde diep adem. 'Ze zijn niet aangekomen.'

‘Ja, zoiets hoorde ik toen ik naar het vliegveld belde. Maar waar zijn ze? Zijn ze in Vigo gebleven? In Pontevedra? Je vader zou dan toch gebeld hebben, of een telegram hebben gestuurd?’

‘Nee, dat is het niet. Het vliegtuig. Het vliegtuig is niet in Madrid geland.’

Emilia steunde met een hand tegen de muur. Haar lichaam van één meter vijftig kromp nog verder ineen.

‘Waar dan?’

‘Wat?’

‘Waar is het dan geland?’

Ze stonden op drie meter van elkaar, geen van beiden deed een pas naar voren. Te vroeg voor een omhelzing, een kus, een troostende hand op de schouder. De paniek die Rafael al op het vliegveld had gevoeld verlamde nu Emilia. Ze begon gehaast te ademen, maar de lucht vulde haar longen niet. Haar lichaam schokte.

‘Waar zijn ze geland, Rafael?’

Haar man keek weer op. Hij had zijn natte jas nog niet uitgedaan, druppels tikten op de grond als de secondewijzer van een klok.

‘Dat weten ze niet. Het is verdwenen. Ze kunnen het niet vinden.’

‘Het hele vliegtuig? Een heel vliegtuig, Rafael? Hoe kan dat nou weg zijn?’

‘Dat zeiden ze ook bij Aviaco. Het is een raadsel. De verkeersleiding heeft nog met de piloot gesproken, een kwartier voordat ze zouden landen. Het toestel was al dichtbij. En hij zei dat alles goed ging. Daarna hebben ze niets meer gehoord.’

'Hoe laat was dat?'

'Kwart over zes, geloof ik. Ik weet het niet precies meer.'

'Dat is bijna zes uur geleden! En nu kom je het me pas vertellen? Weet je wat voor een avond ik heb gehad? En Carmen maar vragen en vragen. Mama, wanneer, wanneer, wanneer? Ik zeg: "Papa zal wel bellen als er iets is..."'

'Dat heb ik gedaan, dat mocht vanuit het kantoor in Aviaco. Maar in de bar hier om de hoek namen ze niet op. Ze hebben het ons pas na zevenen verteld. Daarna hebben we op nieuws gewacht. Er waren nog andere mensen, ook familie...'

Emilia draaide zich om, keerde terug naar de woonkamer, waar het eten onaangeroerd op tafel stond. Emilia ging aan tafel zitten. Ze keek naar de kast, waar de mooiste foto's van Josefa en Esther stonden, maagdelijk gekleed in hun witte jurkjes voor de eerste communie, anderhalf jaar geleden. Zonder ouders om het mee te vieren. Maar met een brede lach op hun gezicht.

'En nu?' vroeg ze.

Het bleef stil vanuit de gang.

'Jeetje, Rafael, zeg eens wat, vertel alles wat je weet. Ik hoef toch niet alles te vragen? Wat is er gebeurd? Waar zijn mijn meisjes?'

'Er wordt al gezocht. Ze hebben alle vliegvelden op de route en hier in de buurt gevraagd uit te kijken naar het toestel. Ook de militairen en de Guardia Civil zijn gewaarschuwd. Maar het was al donker, ze konden nu niet meer op pad gaan. Het is ook op de radio geweest, zodat de mensen uit de dorpen het weten. Heeft niemand je wat gezegd?'

'Nee, om tien uur zijn de buren nog langs geweest, daarna niemand meer.'

'Gelukkig.'

'Hoezo gelukkig?'

'Nou, dat je het niet van de radio hebt hoeven horen.'

'Ik had dit toch graag uren eerder geweten. Ik had niet weg moeten gaan van het vliegveld. Ik had er moeten staan, dan zouden mijn meisjes zeker zijn aangekomen...'

Rafael zweeg.

'Ik had moeten blijven wachten...' herhaalde Emilia. Ze mompelde.

'En Teresa dan? En Carmen? Die hadden je ook nodig, lieverd. Neem jezelf dat nou niet kwalijk.'

'Teresa had bij de nonnen kunnen blijven, en Carmen bij de buren.'

'Maar dit ligt niet aan jou. Het is het vliegtuig, dát is niet aangekomen.'

'Als ik er gestaan had, dan waren ze er alláng geweest.'

Ook Rafael keek naar de foto's van de eerste communie. Daarnaast stonden de twee meest recente foto's, van afgelopen zomer. Elk jaar waren ze weer anders. Wijzer, leuker, mooier. Maar ook onherkenbaarder. De gezichten veranderden. Het waren al lang niet meer de kleuters die ze vijf jaar eerder hadden achtergelaten.

'De stewardess die voor ze zorgt, Maribel heet ze, is een van de beste en aardigste die ze hebben bij Aviaco. Dat zei een meisje van de maatschappij me. Daarover hoeven we ons geen zorgen te maken. Het was haar voornaamste opdracht op deze vlucht, voor Josefa en Esther zorgen. Haar enige opdracht.'

'Ja, maar waar kunnen ze zijn?'

Rafael Castillo had besloten zijn vrouw niet te vertellen dat ze waarschijnlijk ergens hoog in de bergen waren. Een leidinggevende van Aviaco was bij hen geweest, in het zaaltje in de terminal. Samen met iemand van de verkeerstoren en een piloot. Allemaal militairen. Ze hadden de wachtende familieleden verteld dat het ook voor hen een raadsel was. De gewone radio van het vliegtuig had niet gewerkt, maar via een andere lijn had de bemanning toch contact gekregen, een kwartier voor de landing. Salamanca was het toen al lang voorbij. Hij is de beste piloot van Aviaco, zeiden ze, met het grootste aantal vluchturen. Zeer ervaren. Oorlogsheld. Hij zou het toestel ongetwijfeld ergens veilig aan de grond hebben gezet. Maar de grote vraag was waar? Het was ook de grootste vrees. Om kwart over zes, toen hij het laatste contact had, moest hij dicht bij of boven de Sierra van Guadarrama zijn geweest. En die is ontoegankelijk, op veel plaatsen. Het was er bovendien gaan sneeuwen. Dat zou in ieder geval de kans op een brand aan boord verkleinen, zeiden ze nog. Het was ter geruststelling bedoeld. Ze wisten ook niet de exacte route van het toestel. Het had over Ávila kunnen vliegen, maar ook iets noordoostelijker, over Segovia. Morgen zouden militairen, agenten en vrijwilligers worden ingezet om te gaan zoeken.

'En nu?' vroeg Emilia, nadat ze tevergeefs op een antwoord van haar man had gewacht.

'Morgenvroeg wordt er gezocht. Ik ga nog voor het licht wordt naar het vliegveld. Daar zullen ze ons op de hoogte houden. Familieleden van passagiers die er vanavond niet waren zijn al geïnformeerd, die komen ook allen naar Barajas, als ze kunnen.'

'Ik ga ook mee.'

'En de meisjes dan? Blijf toch gewoon hier. Doe tegenover Carmen en Teresa alsof er niets gebeurd is. Zeg maar dat hun zusjes een dag later aankomen; dat ik opnieuw naar het vliegveld ben om ze op te halen.'

Emilia aarzelde.

'Je kunt toch niets doen, op het vliegveld. Hier ben je belangrijker,' zei haar man.

'Dan ga ik in de bar zitten, de hele ochtend. De hele dag als het nodig is. Dan bel je me daar zodra ik iets weet. Ik ga niet werken. Of wel. Ja, doe dat maar. Bel me bij de nonnen, je hebt het nummer toch?'

'Ja, dat weet ik uit m'n hoofd.'

'Bel me daar. En als ik daar niet ben, na mijn werk, bel je me in de bar. Maar niet om de zoveel uur, hè? Direct zodra je iets nieuws weet.'

De bar was meer voor de mannen, dacht ze. Die brachten er uren door, met hun biertjes of smerige wijn. In dikke sigarettenrook. Daar ging ze niet een hele ochtend met Teresa zitten. Rafael rookte ook, maar in het bijzijn van de kleine mocht hij dat niet. Het stonk. De bar stonk ook. Emilia vond het de minst plezierige plaats van de nieuwe wijk. Al die gulzige blikken als er eens een meisje of een vrouw binnenkwam. Alsof ze die thuis niet hadden. En als ze er wat langer zat, zou ze ook nog vragen moeten beantwoorden. Daar had ze geen zin in. Hadden ze maar niemand iets verteld, over de komst van de meisjes. Morgen zou iedereen in de buurt ernaar vragen. En wat moest ze dan zeggen? Ze wist niets, nog niets. De meelevende blik van de mensen... Alsof er iets ergs gebeurd zou zijn met Josefa en Esther.

Ze waren keurig ter communie gegaan, dit kon toch geen straf van God zijn? Nee, voor de meisjes niet. Misschien voor Rafael en haarzelf. Zij waren geen goede ouders geweest. Ze verdienden het niet hun twee dochters straffeloos weer in de armen te sluiten. Ze zouden ervoor moeten lijden. En dat deed Emilia al. De onzekerheid, die begon haar nu al te slopen. Slapen zou ze niet, deze nacht. Gisternacht sliepen de meisjes bij hun opa, toen wist Emilia waar ze waren, veilig in wat hun huis de laatste vijf jaar was geweest. En deze nacht? In een vliegtuig, ergens in een weiland, op een onmetelijke vlakte waar niemand woont en niemand hen zal zien? In de bergen? Hoe laat was het laatste contact met de verkeerstoren? De siërra! Ze konden de bergen hiervandaan zien, vandaag nog tijdens de busrit naar het vliegveld. De flanken waren donker geweest, de toppen in dikke wolken gehuld.

'Rafael?'

'Ja?'

'En de bergen? Als ze...'

'Maak je geen zorgen. Ze vertelden ons dat het vliegtuig een kruishoogte van achtentwintighonderd meter heeft. De hoogste berg van Guadarrama is net tweeduizend meter. De piloten weten dat. Er is daar nog nooit een vliegtuig tegenaan gevlogen.'

HOOFDSTUK 25

Ik heb de jonge Chileen net beloofd dat ik hem een adres zal geven en ik begin al te twijfelen. Een adres, heb ik hem gelukkig gezegd. Niet míjn adres. Het kan een bar zijn om af te spreken. Of een ticketkantoor van Aviaco, in het centrum van Madrid. Ook Caparrini, de koopvaardijpiloot op de eerste rij, heeft me gevraagd wat ik in Madrid doe, of ik tijd heb voor iets leuks. Ik heb hem afgewimpeld en heb nauwelijks nog een woord met hem gesproken. Typisch Madrileens, ze zijn direct, vinden zichzelf stoer en onweerstaanbaar. Anders dan de bescheidenheid van de Chileen. De jonge handelsreiziger Ángel Murcia had op een eerdere vlucht geprobeerd een afspraak met me te maken in Barcelona. Mannen... Hiervoor overkwam het me nooit. Heeft toch met het uniform te maken. En met het feit dat we in de lucht vertoeven; iedereen voelt zich er vrijer, in elk opzicht. Ángel Murcia kreeg mijn adres ook niet, in Barcelona noch in Madrid.

Ik woon iets meer naar het oosten van Madrid, richting vliegveld, vlak bij de stierenvechtarena van

Las Ventas. Daar voor de deur, bij een drukke tramhalte, worden we opgepikt door een busje van de maatschappij als we moeten vliegen. Er zijn nog twee flats voor alleen stewardessen, maar met heel veel zijn we niet. Ik denk dat het in totaal twaalf vrouwen zijn, die hier in Madrid wonen. Het meisje dat met mij werd geruild en nu in Barcelona woont vond dat helemaal niet leuk. Ze komt uit Madrid. Ik heb gezegd dat ze geduld moet hebben, dat ze snel de zee zal ontdekken. De landingen in Barcelona vanuit het noorden zijn prachtig; de majestueuze stad aan de rechterkant, de lange, kaarsrechte straten die de Tibidabo afdalen richting de zee, als de vroegere stromen water uit de bronnen op de berg. En kom je vanuit het zuiden dan zie je de kleine badplaatsen in de Middellandse Zee weerspiegeld worden. Sitges is uit de lucht al betoverend, laat staan op de grond. Alsof de oorlog er niet gewoed heeft. Het grauwe van Spanje heeft in Sitges een helder witte kleur gekregen, door de kalk op de oude gebouwen in het oude centrum van het dorp. Net als in de dorpjes aan de Costa Brava. Het samenspel tussen het witte van de huizen en het blauwe van de zee maakt het land hier vrolijker en meer ontspannen. En ze zijn nog heel Catalaans ook, alsof Franco hier geen verstikkende greep op de mensen heeft gekregen. De zee is altijd de opening naar de rest van de wereld geweest; de mensen aan de kust kun je niet zo achterlijk houden als die in het grenzeloze binnenland. Ava Gardner heeft hier zelfs een film opgenomen, in Tossa de Mar. Dat was toch bijzonder: die vrije Amerikanen bezoeken niet zomaar een dictatuur. Ik heb de film vijf keer gezien, en dat terwijl ik helemaal niet zo romantisch ben. Maar het avontuur van die vrouw, en de vliegende Hollander en de andere mannen, dat trok me. De vrijheid van de vissers. De zee is net zoiets als de lucht, een uitvlucht naar een andere wereld, ver van de zorgen en wakende blikken van wie dan ook.

Misschien dat de stewardess uit Madrid het daarom niet leuk vindt, ze is de benauwende sfeer in Madrid gewend. Barcelona is zo anders. Omgekeerd heb ik er ook wel moeite mee; daarom blijf ik vaak binnen. Maar ik ben toch bijna altijd weg, want we moeten hard werken. We wíllen hard werken. Liever vliegen dan thuiszitten. En mijn chef roostert genoeg vluchten naar Barcelona voor me in.

Ik heb Ángel Murcia wakker gemaakt. Ik heb hem gezegd dat we bijna gaan landen en dat hij klaar moet zijn om als eerste naar buiten te gaan. Zo kan hij de vlucht naar Barcelona nog net halen. En meneer Paredes, de voetballer, ook. De rest van de passagiers blijft in Madrid.

Toen ik Ángel wakker maakte tikte Ignacio Tagle me op mijn bips. Ik keek boos om, hij knipoogde. Josefa, die het zag gebeuren, moest lachen. Ook de meisjes zijn dus wakker geworden. Het vliegtuig begint weer tot leven te komen. Het is een saaie vlucht geweest, er was niets te zien voor de mensen. Weinig praters ook aan boord. De voetballer heeft zijn bewonderaar een tijdje te woord gestaan maar is daarna gaan lezen. De markiezin werd door het stabiele ronken van het toestel in slaap gewiegd. Ze sliep met haar mond licht geopend en verloor daarmee in een diepe droom haar blauwe bloed. Ángel Martínez, wiens vrouw in Madrid elk moment kan bevallen, kon geen moment stilzitten en keek voortdurend op zijn horloge. Hij vroeg me wel vijf keer om een glaasje water. Toen ik hem aanbood iets sterkers te halen, accepteerde hij dat graag. Hij werd er iets rustiger van. De man met het Baskische accent heet Jesús Quesada, hij is ondernemer. Hij importeerde graan en meel, maar had zojuist een ijzerhandel in Pontevedra gekocht, zei hij. De oud-burgemeester van Sanxenxo, meneer Pita Durán, heeft nu een hotel aan de kust in het dorp, Miramar. In elke badplaats is wel een hotel dat Miramar heet. Hij heeft me uitgenodigd er eens te komen logeren. Het is niet ver van het vliegveld van Vigo, zei hij. Er zaten geen vreemde bedoelingen achter, voegde hij nog toe. De hele bemanning moest komen. Ik denk dat hij de oudste aan boord is, bijna zestig jaar. Hij vertelde me dat hij als jongen met zijn ouders naar Buenos Aires was geëmigreerd, en op zijn vijftigste naar Galicië was teruggekeerd omdat hij in Argentinië door schuldeisers werd achtervolgd. Ik vroeg hem naar Buenos Aires, waar ik graag eens op zou willen vliegen. Maar dat doet alleen Iberia. Het was een hectische stad, zei hij. Koud in de winter, bloedheet in de zomer. Groots, oneindig. Meer vrijheid? vroeg ik hem. Hij gaf er geen antwoord op. Domme fout van me, dacht ik even later. Een burgemeester in Spanje is normaal gesproken iemand van het bewind, een Franco-getrouwe, anders krijg je zo'n post niet. Maar hij leek me een heel aardige man. Een hotelletje aan zee. Ik zal het de jongens in de cockpit eens zeggen, maar gewoonlijk bepaalt Aviaco waar we overnachten.

Vannacht zal dat in de flat in Madrid zijn. Ik verlang ernaar. Het is een zware dag geweest. Deze vlucht is gelukkig veel kalmer dan de twee van vanochtend. Op Barajas verwachten we geen problemen bij het landen. Het is alleen koud aan boord, erg koud. De verwarming doet het nauwelijks, zoals gebruikelijk. De zusjes heb ik elk drie dekens gegeven, de rest van de passagiers twee.

Ik begin net vooraan de glazen en andere resten van de reis op te halen als de deur van de cockpit opengaat.

'Maribel, kom even,' zegt Enrique, half opzij hangend vanaf zijn stoel.

Pedro Sacristán zit met de rug naar hem toe. 'Madrid, Madrid, ontvangt u mij? Hier EC-ANR, van Aviaco. Ik herhaal EC-ANR...' Ik hoor het gekraak in zijn koptelefoon, en doe de deur achter me dicht. 'Madrid, Madrid... Kloteradio!' Pedro schuift de koptelefoon van zijn rechteroor af. 'Weer niet, Pepe. Ik word er gek van. Een jaar heeft dit toestel aan de grond gestaan, ze hebben van alles vernieuwd, óók de radio. In april is het weer gaan vliegen en nu doet de VHF het alweer niet. Kunnen ze ons nou nooit eens een lekker ding geven, eentje zonder kuren?'

Pepe Calvo kijkt niet om, tuurt naar buiten maar

vooral op zijn instrumentenbord. 'Probeer eens een andere frequentie. We zijn niet ver van Madrid meer, het moet lukken. Voorlopig doen we het zonder toestemming, we gaan zakken. Is Maribel er al?'

'Ja, commandant,' zeg ik.

Hij draait zich nog steeds niet om en spreekt staccato. 'Iedereen de riemen vast. We gaan snel dalen, naar tweeduizend meter. We vriezen vast, het is te koud hierboven. Er zit regen in de wolken, en sneeuw. Dit kolereding ontdooit niet. Als ik niet snel daal valt de apparatuur uit. Riemen vast tot we op de grond zijn. Nog een kwartiertje en dan zijn we op Barajas. Begrepen?'

'Ja, commandant. En ikzelf?'

'Je hoeft nog niet vast, pas als we werkelijk gaan landen. Ik wil dat je er voor de passagiers bent. Ze zullen de forse daling wel merken, want we gaan het snel doen. Over een halve minuut. Pedro, al contact?'

'Nee, Pepe. Of wacht! Hallo, hallo? Ja, hier EC-ANR, Vigo-Madrid. Ik vraag toestemming om direct contact met Barajas te maken via hun frequentie. Direct contact, VHF doet het niet.' Een korte pauze, ik hoor een stem doorkomen. 'Ja, 3.023,5, doen we. Dank u. Ja? Ja, alles in orde. Pepe, dat was de centrale verkeersleiding. Ik kan op 3.023,5 direct met de verkeerstoren afstemmen.'

Ik doe de deur achter me dicht en voel dat Pepe de daling aan het inzetten is. Ik buk me, kijk naar buiten. We vliegen de ene wolk uit en de volgende in; het toestel begint licht te trillen. De markiezin kijkt me geschrokken aan.

'Beste mensen, iedereen de gordels om, alstublieft. De daling gaat beginnen, we komen in de wolken terecht. Over een kwartier staan we op de landingsbaan in Madrid.'

Een enkeling heeft de gordel al om, anderen moet ik een handje toesteken. Als ik bij de laatste rijen ben, pakt Ignacio Tagle mijn hand; Ángel Murcia kijkt verrast toe. Ik trek me zachtjes los.

'Meisjes, we gaan jullie weer vastzetten.'

'Zijn we er al?' vraagt Esther.

'Ja, bijna. Tien minuutjes, misschien iets meer. We gaan nu snel naar beneden, alsof je een berg afrijdt. Of met een slee de besneeuwde heuvel af gaat. Hebben jullie dat al eens gedaan?'

'Jaaa,' zeggen ze tegelijk.

'In het dorp,' zegt Josefa. 'In de stad sneeuwt het bijna nooit. Sneeuwt het in Madrid?'

'Ja hoor, misschien zelfs vandaag al. Het is koud geworden, voel je dat?'

Ze knikt.

'Zal papa er zijn?' vraagt Esther.

'Ja natuurlijk,' antwoordt haar zus.

'We zijn later dan verwacht,' vertel ik, 'maar op het vliegveld hebben ze papa wel ingelicht. Hij zal wel ongeduldig zijn. Zó lang wachten op jullie.'

Ze kijken me allebei met hun grote ogen aan. Ik neem ook hun bekertjes mee. 'Kijk maar naar buiten,' zeg ik. 'Nu zie je nog niets, maar als we onder de wolken komen kunnen jullie de lichtjes van Madrid zien. En dat zijn er heel veel.'

‘Is het al kerst?’ vraagt Esther.

‘Nee, die lichtjes zijn er altijd. Elke dag van het jaar. Ook als het geen feest is. Maar vanavond zijn er wat meer omdat jullie komen. Sommige zullen knipperen, dat is een welkomstgroet. Voor jullie.’

Ik loop naar achteren, stop het vuilnis in een kastje, doe mijn jasje aan en mijn hoedje op en ga op mijn stoel zitten. Door het raampje is nog niets te zien. Af en toe een lichtflits, meer niet. Het bliksemt onder ons. Het binnenste van een wolk is beklemmend, het grijpt je bij de keel en je weet nooit wanneer het je weer loslaat. Je ziet de flarden voorbijrazen, de snelheid wordt ineens zichtbaar. De motoren lijken luider te brommen. Ik zit aan de linkerkant en zal de lichtjes van Madrid niet kunnen zien.

Plots helt het toestel iets naar links over, ik word tegen de wand gedrukt. De zusjes slaken gilletjes, iemand voorin ook. Ik kijk naar buiten en zie geen wolk meer. Het is donker, maar er glijdt iets voorbij. De grond? Stenen, ik zie stenen. Rotsen.

Een klap, de vleugel breekt. Een vreselijk lawaai, nu krijst iedereen. Ik hoor iets scheuren. Ik word van mijn stoel geworpen. Mijn hoofd... Ik voel een stroom koude lucht.

Het is donker.

HOOFDSTUK 26

In de taxi naar het kerkhof vraagt Ana Bernal de jonge ober of hij de krantenartikelen nog heeft gelezen. Miguel zegt dat hij er op zijn vrije zondag niet aan toe is gekomen, ze hadden een familiefeest dat de hele dag had geduurd. Er waren, behalve zijn ouders, zijn grootouders, ooms en tantes, neven en nichten, en hun echtgenoten, vrienden en vriendinnen. Bijna dertig mensen, in een landhuis buiten de stad. Het was de verjaardag van zijn opa geweest.

Bij Ana thuis zijn ze nooit zo van familiefeesten geweest. De familie is niet groot, en viel in de loop der jaren door scheidingen uiteen. De kleinkinderen van haar zus, Sergi en Carla, beschouwt ze een beetje als haar eigen kinderen. Maar feesten, nee. Hun eigen verjaardagen vierden Josep María en Ana met elkaar, in een mooi restaurant, elk jaar een ander.

Nu Miguel het album met de krantenknipsels niet heeft ingekeken vertelt ze hem zelf maar kort het verhaal van die vermaledijde dagen van onzekerheid. De rit zal zo'n twintig minuten duren, misschien een halfuur als er veel verkeer is.

Ze werden de avond van het ongeluk al gebeld door iemand van Aviaco. Dat het toestel van hun dochter niet was aangekomen in Madrid. Dat het vermist was. Ana was al ongerust geweest. Maribel telefoneerde altijd als ze geland was, soms na enkele minuten al, soms na een uur hooguit. Ze had vertraging, dat wist Ana na het belletje vroeg in de middag vanuit Santiago, maar toen ze om acht uur 's avonds nog niets had gehoord sloeg de twijfel toe. En de ongerustheid. Nog geen paniek; ze had zich aangeleerd nooit het slechtste scenario te bedenken.

Toen kwam dat telefoontje. Het was al na negen uur, zij en Josep María waren net aan tafel gegaan. Ze zouden die avond niet meer eten.

De volgende ochtend namen ze een vliegtuig naar Madrid, Aviaco had twee plaatsen voor hen geregeld. Met hen reisde José Murcia, broer van een jonge handelsreiziger uit Barcelona die in het toestel van Maribel had gezeten. In een zaaltje op het vliegveld van Barajas waren vijfentwintig, dertig anderen. Familieleden en vrienden van de mensen aan boord. De vrouw en twee oudste kinderen van de piloot. De zus en zwager van een adellijk stel uit Galicië. De consul van Chili in Madrid. De vader van twee kleine zusjes. Ana sprak maar kort met de mensen. Ze had niet veel zin. Niemand praatte veel. Een beklemmende stilte vulde het zaaltje, samen met de rook van de ene na de andere sigaret die werd opgestoken.

Elk uur werden ze op de hoogte gehouden, maar er was geen nieuws. Er kwamen journalisten langs, om het verhaal van de families op te tekenen. Ook zij ontvingen nog geen berichten over het toestel. Plaatselijke correspondenten en verslaggevers waren samen met militairen, agenten en dorpsbewoners op pad gegaan. Op het vliegveld van Barcelona had Josep María *La Vanguardia* gekocht. Foto's van generaal Franco op de voorpagina van de krant, bij de ontvangst van nieuwe ambassadeurs. En dat hij zijn verjaardag had gevierd. Lekker belangrijk. Plus de foto's van een brand in een school in Chicago, waarbij ongeveer negentig kinderen om het leven waren gekomen. Zo je kind verliezen, dacht Ana nog... Ze kwam niet aan dat verhaal toe. Want op pagina zes al stond het bericht, hún bericht, een van de vele die ze in het knipselalbum had bewaard.

Aanvankelijk bewaarde ze de kranten om later aan Maribel te kunnen laten zien, wanneer ze gevonden en gered was. Zodat ze een idee kon krijgen van hoe Spanje had meegeleefd. Dat het hele land in de ban was geweest van de Languedoc, van de dappere piloot Calvo, van de sympathieke stewardess Maribel, van de passagiers en hun families, elk met een eigen verhaal. Toen bleek dat Maribel die verhalen nooit zou lezen, ging Ana toch door met het uitknippen van de verhalen, soms pagina's lang.

Nu is ze blij dat ze dat heeft gedaan. Het maakt die winterse dagen van 1958 tastbaar. Ze vervagen nooit; de herinnering aan Maribel is niet compleet zonder die drie dagen in december.

Josep María las het artikel uit *La Vanguardia* voor toen ze eenmaal aan boord waren. Het vliegtuig, dat de route Vigo-Madrid vloog, was vermist. Een tweede, kleinere kop bevestigde hun grootste vrees, dat wat ze in een slapeloze nacht steeds hadden herhaald. Het gevoel, diep vanbinnen, dat er iets ergs was gebeurd: GERINGE KANS DAT HET TOESTEL ERGENS VEILIG GELAND IS. Dat had de man van Aviaco de avond tevoren nog niet gezegd. Eerst vroeg ze Josep María om maar niet verder te lezen, wat had het nog voor zin. Daarna wilde ze toch meer weten. Ongetwijfeld vertelde de krant meer dan de bazen van Aviaco. Om tien over half zes was het toestel Salamanca gepasseerd. Er kwamen verhalen van inwoners van El Escorial, net ten noordwesten van Madrid, waar twee explosies waren gehoord. Maar het tijdstip klopte niet. Het ergste in het hele bericht was de weersituatie. Overal in de Sierra van Guadarrama sneeuwde het. Als het toestel daar was verdwenen, dan moest in een onherbergzaam gebied van zeventig bij twintig kilometer worden gezocht. De krant had al een hele lijst van passagiers, en noemde de bemanning bij naam. 'De stewardess, señorita Sastre.' En die ene, vreselijke zin die Ana Bernal nooit in haar leven zou vergeten. 'In Vigo wordt gezegd dat het vliegtuig als verloren wordt beschouwd. Het is hoogstwaarschijnlijk neergestort in de Sierra van Guadarrama.'

Dat werd in de loop van de dag in het zaaltje van Barajas ook steeds duidelijker. Het enige nieuws dat de mensen van Aviaco konden brengen was over de zoektocht. Het leek of ze geen idee hadden waar ze precies moesten zoeken. Overal gingen hulpverleners op pad, vooral aan de meest westelijke kant van de bergen, waar die explosies waren gehoord. Dat was ook de gebruikelijke route bij slecht weer, over El Escorial heen. Het centrale commandocentrum was daar ingericht, aan de voet van de Abantosberg in de vallei van Cuelgamuros, waar Franco zijn vreselijke monument voor zijn oorlogsslachtoffers had opgericht. Midden in de natuur een afzichtelijke kathedraal van de repressie. Zou het noodlot Maribel juist daar hebben gebracht?

De taxi rijdt langs de haven, de chauffeur kent Ana's verhaal al. Elke maand, al acht jaar lang, doet hij dit ritje met haar. Miguel heeft nog nooit in een taxi gezeten, zegt hij. En is ook nooit op de begraafplaats van Montjuïc geweest. Boven hen doemt al het kasteel op; de begraafplaats ligt erachter, aan de andere kant, onzichtbaar vanuit de stad.

Ana vertelt over de vader van de twee jonge zusjes die naar hen toe kwam. Hem was gezegd dat Maribel voor de meisjes zou zorgen. Ana zei hem dat ze vaker alleenreizende kinderen onder haar hoede had, en dat iedereen altijd heel tevreden was. De man, met een Galicisch accent, vertelde dat zijn meisjes na vijf jaar weer met hem, hun moeder en andere zussen herenigd zouden worden. Ana probeerde hem gerust te stellen, zei dat het wel goed zou komen. Dat Maribel ervoor zou zorgen dat de meisjes het niet koud zouden krijgen, daar hoog in de bergen. Dat ze een schuilplaats voor hen zou vinden en dat ze zou doen alsof het allemaal een spelletje was.

Twee dochters, huilde hij... Twee. Ana zweeg, vertelde niet dat Maribel hun enige kind was. Dit was geen strijd om wie het meeste verdriet had.

De militairen kwamen met weinig goed nieuws. Er werkten twee helikopters mee aan de zoektocht, maar de mist was zo dicht dat ze niet konden helpen. De patrouilles op de grond, op de flanken van de bergen, hadden op veel plaatsen nog geen dertig meter zicht. En de regen bleef maar vallen, op de hoogste punten als dikke vlokken sneeuw; toppen die de hulpverleners niet eens konden bereiken.

De taxi is de ringweg van Barcelona op gereden. Het is nu eenvoudiger om bij het kerkhof te komen dan vroeger, toen je langs krotten en drugspanden moest. Veel taxichauffeurs wilden of durfden dat niet eens, bang door junks beroofd te worden. Het was de verderfelijke toegangspoort naar het kerkhof, het vagevuur als voorportaal van het hiernamaals. De barakken en uitgewoonde flats werden gesloopt; nu staan er bloemenstalletjes bij de ingang. Ana koopt haar bloemen altijd vooraf, laat de taxi twee straten van haar huis even stoppen bij een bloemisterij. Bij het kerkhof zijn de bloemen dubbel zo duur. En ze verwelken eerder. Ana probeert bloemen te kopen die niet triest boven het graf van haar dochter hangen als ze na een maand weer terugkomt.

'We zijn er bijna,' zegt ze tegen Miguel, die haar niet eenmaal heeft onderbroken. 'En mijn verhaal loopt ook ten einde.' Ze vervolgt bijna monotoon.

Na een nieuwe nietszeggende briefing halverwege de vrijdagmiddag op het vliegveld van Madrid was een van de wachtenden in woede uitgebarsten. 'Wat doen we hier eigenlijk?' schreeuwde hij naar de woordvoerder. 'We weten nu wel dat het toestel niet meer gaat landen. We willen ook de siërra in en helpen met zoeken, of op zijn minst daar het nieuws afwachten. In het commandocentrum. Daar hebben we recht op!'

Er werd instemmend gemompeld. 'Ja, mijn ouders kunnen niet, maar ik ben nog jong en sterk. Ik wil ook zoeken naar mijn broer en al die andere mensen,' riep een dertiger. Na kort overleg werd besloten dat degenen die wilden in een militaire bus naar El Escorial zouden worden gebracht. Daar was ook een hotel. Ana Bernal en Josep María Sastre twijfelden geen moment. Ze gingen mee. De meesten deden dat.

Maar ook daar kregen ze nauwelijks nieuws te horen. Tot het donker werd en alle zoektochten werden gestaakt. De militairen besloten, op basis van nieuwe informatie, het commandocentrum dertig kilometer naar het noorden te verplaatsen, dichter bij Segovia. Er waren serieuze aanwijzingen dat het vliegtuig daar voor het laatst gezien was.

'Daar in een heel klein dorpje, voor het haardvuur in een herberg die La Venta de Santa Lucía heette,' zegt Ana op de achterbank van de taxi tegen Miguel, 'dichter bij onze dochter dan we konden bevroeden, hebben we voor de laatste nacht in ons leven de hoop gekoesterd dat ze nog zou leven. De volgende ochtend, op zaterdag 6 december 1958, zou alles anders zijn.'

HOOFDSTUK 27

'Mama. Zusjes?'

Het hart van Emilia Gesteira kromp ineen. Ze had zich al afgevraagd hoe haar kleine Teresa zou reageren zodra ze wakker werd. Zusjes die kwamen, dat wist ze. De foto's zag ze elke dag, en ze hadden haar voorbereid. 'Dan en dan komen ze, je zusjes. Weet je? Josefa en Esther komen voor jou. Papa en mama kennen ze al, en Carmen ook, maar jou nog niet. Ze hebben één foto van je gezien, meer niet. Ze hebben je stemmetje over de telefoon gehoord. Dat is alles. Je zusjes. Het zijn de liefste meisjes van de wereld, net als Carmen.'

'Zusjes?'

'Nog niet, lieverd. Papa is weer naar het vliegveld. Gisteren werd het te laat, ze vliegen vandaag. Als twee engeltjes. Ze zijn iets later, maar dat geeft niet. Zij kunnen er niets aan doen.'

Zusjes?

Ja, wat zijn zusjes als je ze niet kent. Emilia praatte met zichzelf, niet met haar kleinste dochter. Ze moest haar zinnen verzetten, niet elke traag voorbij tikkende seconde denken aan een gebroken vliegtuig op een berghelling in de sneeuw.

Zusjes. Teresa wist nog niet eens zo lang dat ze bestonden, dat ze er nog twee had naast Carmen. Ze had de foto's zien staan op de kast, maar foto's zeiden alleen iets als je wist wie het waren. Foto's waren voor Teresa slechts beelden van ver, van onbekende mensen. Opa en oma kende ze ook niet. Ze zag ook niets bijzonders in een foto, het kon net zo goed een tekening uit een boekje zijn. Pas toen de reis van Josefa en Esther zeker was, hadden ze haar de foto's dagelijks voorgehouden. Dit is Josefa. Dit is Esther. Ze komen hierheen. Dit is hun kamer, hier zal hun bed staan. Je zusjes. Zussen, want ze zijn iets ouder. Ze gaan al naar school, allebei.

Nu wist Teresa het ook. De zusjes hadden vanaf gisteren het huis met nieuwe vreugde moeten vullen.

Rafael was vanochtend al om vijf uur naar het vliegveld vertrokken. Zodra het licht zou worden wilde hij er zijn. Ze hadden niet geslapen. Even was Rafael weggezakt; de dag was lang en zwaar geweest. De nacht nam iets van de vermoeidheid weg, maar niet de wanhoop. Ze wilden zo graag optimistisch blijven, maar het idee alleen al: hun meisjes ergens in de donkere en koude nacht... Of het toestel moest gewoon aan de grond staan. Het was best mogelijk. Misschien was het ergens in de buurt van Salamanca geland, te midden van de grazende varkens, zonder dorp en telefoon in de wijde omtrek. Vandaag zou het verlossende bericht komen dat het was gevonden. Maar die hoop ontbrak aan het onbestemde, allesoverheersende gevoel dat Emilia overspoelde, van hoofd en hart tot haar buik. De leegte. Alsof de meisjes tegelijk uit haar baarmoeder waren weggerukt. Zelfs tijdens haar zwangerschappen had ze de handen niet zo vaak op haar buik gekruist als deze nacht.

Carmen ging naar school. Ze moesten de dag maar zo gewoon mogelijk beginnen. Emilia ging werken. Niet als afleiding, maar de nonnen hadden een telefoon. Overal waar Emilia in het nonnenverblijf aan het schoonmaken was zou ze hem horen rinkelen.

'Carmen, je schooltas!' Ook haar oudste dochter was er met haar hoofd niet bij. Ze had weinig gevraagd vanochtend. Emilia had Carmen beloofd haar direct van school te halen als de zusjes thuis zouden komen.

Emilia kleedde Teresa aan. Ook voor Emilia zelf moest het een dag als alle andere lijken.

Van achter het raam in haar slaapkamer had ze de eerste sneeuw op de toppen in de siërra zien liggen.

Op straat keken enkele mensen haar aan en fluisterden elkaar iets toe. Een buurman vroeg hoe het met hen ging en of ze al iets meer wisten. Een buurvrouw zei dat het hun speet voor haar. Speet? Emilia ging er maar niet op in. Het komt wel goed, herhaalde ze de hele tijd. Rafael was al naar het vliegveld, vertelde ze, die zou spoedig met goed nieuws thuiskomen.

Toen ze met de kinderwagen het centrale pleintje van de postbodewijk op liep, zag ze wel tien mensen staan bij de krantenkiosk. Iemand zag haar aankomen en iedereen draaide zich naar haar om.

'Goedemorgen,' zei Emilia. Enkele gezichten herkende ze, maar de meeste nog niet, na zo'n korte tijd in de wijk. Ze wilde bij de kiosk snoepjes voor Teresa kopen. Op de kleine toonbank lagen de kranten. Het werd stil om haar heen, ook de verkoopster vroeg niets. Ze lieten haar kijken. Maar ze las nauwelijks. Tranen welden op. Drie kranten, twee ervan met hetzelfde nieuws op de voorpagina. 'Vermist! Een vliegtuig dat de route Vigo-Madrid onderhield.' '21 mensen aan boord.' 'Laatste contact om 18.15 uur.' 'Geen enkele aanwijzing waar het toestel zou kunnen zijn.' 'Familieleden verzamelen zich op Barajas.'

Ze hoefde niet meer verder te lezen. Ze kocht de kranten niet.

'U mag er een gratis meenemen,' zei de verkoopster. Emilia sloeg het aanbod af. In de kiosk stond een radio aan. 'Vanochtend zijn tientallen patrouilles op pad gegaan,' zei een van de wijkbewoners. 'In zes verschillende provincies. Vandaag zal het toestel ongetwijfeld gevonden worden, zeggen ze.'

Emilia draaide zich om, hield zich vast aan de kinderwagen en stak de straat over.

De nonnen hadden ook een radio. Elk uur, bij het nieuwsbulletin, vroeg Emilia of ze even mocht luisteren. Enkele nonnen luisterden met haar mee, sloegen een arm om haar heen en gaven haar zelfs een kus als er wéér geen nieuwe berichten waren doorgekomen. Elk uur opende het bulletin met het vliegtuig, met de zoektocht, met het mysterie. Opgeslokt door de nacht, verdwenen in een donker Spanje. De Sierra van Guadarrama, daar was iedereen het wel over eens, dáár ergens moest het toestel zijn. De namen van de vijfkoppige bemanning werden genoemd. En die van de passagiers, met hun woonplaats. Emilia's adem stokte.

'En tot slot de zusjes María Josefa Castillo Gesteira en María Esther Castillo Gesteira, van tien en acht jaar oud, die onder de hoede van stewardess Maribel Sastre vlogen.'

'Negen,' mompelde Emilia.

'Wat is er?' vroeg overste Matilde.

'Esther. Ze is niet acht. Ze is net negen geworden.'

Natuurlijk waren ze aan boord. Maar toch, heel even, had ze gehoopt dat haar schoonvader de meiden mee terug naar huis had genomen. En dat het telegram om dat mee te delen nog onderweg was. Dat ze daar thuis in Pontevedra net wakker waren geworden, op weg naar hun oude school. Dat opa het met het slechte weer niet had aangedurfd om de meisjes op het vliegtuig te zetten.

Nu schalden hun namen uit de radio. Iedereen in het land kon het horen. Haar schoonvader ook. Emilia hoopte van niet. Hij zou het niet aankunnen. Hij zou zich eeuwig schuldig voelen.

Ze hadden beloofd hem vandaag te berichten dat de meisjes goed waren aangekomen. Ze zouden naar de bar naast zijn flat bellen. Rafael moest het nu maar doen, dacht Emilia, het was zíjn vader. Zij was er niet toe in staat.

De telefoon ging. Rafael. Er was geen nieuws, zei

hij. Ze herinnerde hem eraan dat hij zijn vader moest bellen. Hij was het door de hele toestand vergeten. Maar hij wachtte liever, tot er meer nieuws was. Goed nieuws. Zijn vader moest zich niet onnodig zorgen maken.

Zo sleepte de dag zich voort. Uren wachten, een beetje schoonmaken, elk uur de radio, af en toe een telefoontje van haar man. Tijdens de schoolpauzes hoorde Emilia de tientallen kinderstemmetjes op de patio, de gillende meisjes. Hun uitgelaten kreten toen de schooldag voorbij was, de ouders die buiten op hen wachtten, een kus op de wang of het voorhoofd gaven, en hand in hand met de meisjes terugkeerden naar huis.

Vlak voordat Emilia met Teresa het klooster zou verlaten, belde Rafael nog een keer. Hij had de ouders van de stewardess ontmoet, zei hij. Josefa en Esther waren bij haar in goede handen, hadden ze hem verzekerd. En ze hadden met wat andere familieleden gesproken; iemand stelde voor om niet op Barajas te blijven maar ook naar de siërra te gaan, om mee te helpen zoeken. Als dat kon, dan zou Rafael ook meegaan, zei hij. Emilia moest zich geen zorgen maken als ze vandaag niets meer van hem zou horen. 'Ik hou van je,' had Rafael nog gezegd. Emilia kon zich niet herinneren wanneer hij dat voor het laatst had gezegd.

HOOFDSTUK 28

De indringende geur van brandstof. En die van vuur. Van verkoolde resten. Kou in mijn gezicht. Pijn, ergens in mijn lichaam. Of overal. Ik weet het niet.

Ik doe mijn ogen open. Wit en zwart. Sneeuw. Het donker van de avond. Of de nacht. Ik hoor een licht krakend geluid.

Ik til mijn hoofd op, uit de sneeuw. Kleine vlammen, op een paar meter afstand. Daar komt het geknetter vandaan. Ik schrik, ik moet weg hier, komt het vuur naar mij toe?

Mijn lichaam reageert langzaam. Alles doet pijn. Ik lig in een moeilijke houding tussen grote rotsen. Harde struiken prikken in mijn zij, in mijn rechterarm. Ik kan die arm bewegen, de hand ook. En mijn andere arm. Ik steun op een rots, mijn handen glijden weg in een laagje sneeuw. Wat is het koud... Het vuur beweegt niet, de vlammen worden kleiner. Ik moet me daar warmen.

Mijn heup doet pijn. Ik ga zitten en schud de sneeuw

van mijn uniform. Ik kijk om me heen, en zie een grote schaduw in de lucht, een enorm zwart gevaarte. De kleuren van de Spaanse vlag lichten af en toe op door het dovende vuur. Het staartstuk. Mijn stoel hangt uit de wand gerukt, ik kan hem bijna met mijn hand aanraken. Een andere stoel ligt ervoor, op de rug. De meisjes! Waar zijn de zusjes? En de Chileen? En Ángel? Ze zaten achterin... Die stoel, van wie was die?

Ik roep. 'Josefa! Esther!'

'Ignacio!'

'Ángel!'

'Pepe! Pepe?!' Waar is de piloot? Waar is iedereen?

Het blijft stil. Slechts het flakkeren van het vuur. Ik moet ernaartoe. Het is koud. Ik moet de anderen vinden. Waar zijn ze? Waar zijn we?

Soms vervaagt het vuur. Flarden mist omgeven me, ze komen en gaan. Ze maken de stilte nog stiller. Verder zie ik niets. Geen lichtje, geen ster, geen maan. Mijn ogen beginnen aan het duister te wennen. Ik zie alleen maar rotsen en sneeuw. Verderop een hoge punt, misschien een bergtop. Een paar bomen, midden in het niets.

Ik ril.

Ik moet op een berg zitten. De siërra. Wat had Pepe gezegd? We gingen dalen, we waren bijna in Madrid. Nog een kwartiertje. De siërra, het kan niet anders. Te vroeg geland.

Mijn rechtervoet wringt in een spleet tussen twee rotsen. Ik trek hem eruit, de schoen zit er niet meer aan. Ik tast in de spleet, kan niks vinden. Geen schoen.

Mijn panty is gescheurd, ik voel aan mijn been. Het plakt een beetje, de sneeuw kleurt iets donker. Ik bloed, maar ik voel het niet.

Ik sta voorzichtig op en glij direct uit. De stenen zijn groot, ze komen tot mijn middel. Mijn heup, de pijn is daar het ergst.

Nog een keer. Ik kan de stoel vastgrijpen, trek me op, ga staan. De hele staart is nog intact. Mijn kleine cabine. Op de grond ligt mijn hoedje, ik zet het op. De lades, de kistjes, ze zijn er nog. Ik trek er een open, er zijn nog wat broodjes. Ik heb geen honger. Uit een kastje pak ik mijn paraplu. Hierbinnen sneeuwt het niet. Waar is de rest van het vliegtuig?

Ik kijk naar het vuur. Af en toe komt de walm mijn kant op, het stinkt vreselijk. Ik word er misselijk van. Stukken metaal steken de lucht in. Schuin erachter zie ik een propeller. Een motor. En nog een. Maar verder niets. De romp, de cockpit, die moet toch ergens zijn. Ze zullen me hier toch niet alleen hebben gelaten? Hebben ze mij niet gezien?

Ik moet naar het vuur, ik heb het steeds kouder. Schuilen helpt tegen de sneeuw, niet tegen de kou. Ik strompel over de eerste rots, de ingeklapte paraplu geeft nauwelijks houvast en glijdt weg; ik wil hem niet kwijtraken. Het sneeuwt niet hard nu, maar dat kan nog komen.

Een hand. Een arm. Hij steekt de lucht in, achter de tweede rots.

'Hallo?'

Hij beweegt niet. Ik probeer om de grote steen

heen te kruipen, blijf naar de hand kijken. Roerloos. Ik struikel over een been. Ik gil, zoals ik nog nooit gegild heb in mijn leven. De mist smoort mijn kreet.

Hij ligt op zijn rug. Het is Ángel Murcia. Ik zie het, al is zijn gezicht half bedekt door de sneeuw. Ik durf het er niet af te halen.

'Ángel?'

Dit kan niet. Hij moet doorvliegen naar Barcelona. Misschien spreken we daar toch een keertje af.

'Ángel?'

Ik pak hem bij zijn arm. Zijn horloge zit aan de pols, het glas is stuk. Ik kijk op mijn horloge. Hij doet het nog. Het is bijna zeven uur. 's Morgens? 's Avonds? Hoe laat was het, daarstraks in de lucht? Nee, het moet 's avonds zijn. Ik heb hier niet de hele nacht gelegen.

Ángel is dood. Hoe zeg ik dat zijn familie? Ze hebben ons geleerd wat te doen bij noodgevallen. Een noodlanding, op de grond of op het water. Een brandje. Een hysterische passagier. Hier hebben ze me niets over verteld. Ik moet Pepe vinden. Die heeft in de oorlog gevlogen, die zal weleens zijn neergeschoten. Hij heeft het overleefd. Hij zal ook nu overleven. Hij moet ons helpen.

Wat moet ik doen? Naast Ángel zat Ignacio. En achter hen de zusjes. Waar zijn ze?

'Josefa?'

'Esther?'

Ik kijk om me heen.

Naar het vuur, ik moet naar het vuur. Nog een paar meter. Alles smeult, ik voel de warmte al.

'Nee!' Ik gil nog harder. Moet huilen.

Er blinken tanden in het vuur. En ik zie andere dingen die ik niet kan herkennen. Ik wil ze niet zien. Stoelen zijn gesmolten. En er zit iets op... Of ligt.

Ik struikel naar achteren, ik val, een scheut pijn schiet door mijn rug. Er is niets meer. Het kan niet. Een heel vliegtuig.

'Enrique? Pepe? José? Pedro?'

Ze horen me niet. Er is geen cockpit. Ik sta weer op, ik kijk naar het einde, iets verder naar boven, misschien ligt hij daar ergens, intact, net als het staartstuk. Hoewel... als we tegen een berg zijn gevlogen... Het is mijn geluk geweest achterin te zitten. Geluk? Dit is vreselijk, dit kan niet. Dit is geen geluk. De meisjes, Josefa en Esther. Ik moet goed op hen passen. Hun vader staat hen op te wachten. Hun moeder wacht al vijf jaar op hen.

Zeven uur? Ze zullen zich wel afvragen, waar blijven ze? Papa en mama... Míjn papa en mama. Ik moet ze bellen.

Ja, waar blijven ze. Gaan ze ons zoeken? Weten ze waar we zijn? Is hier een dorp?

Ik moet weg. Bij dit vuur kan ik me niet warmen. De stank is ondraaglijk. Dit geeft geen warmte, ik krijg er rillingen van. Dit moet de hel zijn, zo ziet hij er dus uit. De godsdienstlerares had een beetje gelijk, maar het is veel erger dan zij altijd beschreef. Of niet. Dit kan de hel niet zijn. Het zijn allemaal goede mensen aan boord, zelfs de markiezin. Zij verdienen deze hel niet. Niemand verdient het.

Ik moet de uitgang zoeken. Ergens beneden. Waar is beneden?

Ik zak iets af, terug naar het staartstuk. Ik ga binnen zitten, tegen de wand aan. Alles doet zeer. Ik voel een steek in mijn hoofd. De penetrante geur verdwijnt niet uit mijn neus. Ik snuit in mijn handschoen. Mijn snot is zwart.

Ja, natuurlijk gaan ze ons zoeken. Een heel vliegtuig. Maar heeft Pepe nog kunnen zeggen waar we zijn? De radio deed het niet. Of had Pedro nou contact? Madrid, Madrid? Nog een kwartier, zei hij. Dicht bij de stad. Maar ik zie geen lichtjes, nergens, ook niet als de mistflarden even optrekken.

De berg loopt hier steil naar beneden. Links lange rijen dennenbomen. De top lijkt niet ver weg, maar wat moet ik daar? Daar is het nog kouder, waait de wind misschien. Maar als er aan de andere kant wel licht is?

Ik ben nooit in de bergen geweest, we gingen meestal naar het strand. Ja, de vakantiekolonie op Tibidabo, met andere kinderen. In het natuurpark. Maar die berg is net vijfhonderd meter hoog, geloof ik. Kun je geen berg noemen. Ik heb het er nooit zien sneeuwen. Was er ook alleen maar in de zomer. Het was warm, de bossen brachten verkoeling, we deden speurtochten, ook in het donker. We kregen een kompas. Ik heb geen kompas, nu. De stand van de sterren, de Poolster, Venus... Geen idee. Ik weet ook niet hoe Pepe vloog. Richting zuiden, in principe, dan moet dit de noordkant van de berg zijn. Maar misschien was hij al een beetje gedraaid. Heb ik dat gemerkt? Nee. Hij daalde alleen, hij draaide niet. Hij heeft de berg niet gezien. Klotevliegtuig. Kan niet tegen de kou.

Een deken! Ik heb geen dekens gezien, net. Ik kijk in het kastje, leeg. Ze waren op. Het was zo koud binnen dat ik iedereen twee dekens heb gegeven. Ik ga niet terug naar de romp. Er waren geen dekens. Die dekens wil ik niet.

Kwart over zeven. Ze gaan ons niet zoeken, nu. Ze zullen tot morgen wachten. Het is donker, het sneeuwt. Misschien denken ze dat we ergens veilig geland zijn. In Salamanca of zo. Ik kan hier niet blijven. Een nacht lang, dat hou ik niet vol. Mijn voeten voel ik al niet meer. Maar hoe kom ik beneden, zonder schoen? De rotsen doen pijn, de struiken ook. En hoe ver is beneden?

Ik zal even wachten, het is net gebeurd. Misschien zijn ze snel, weten ze precies waar we waren. Een stuk vliegtuig kunnen ze nog vinden in het donker, mij alleen niet. Ik heb geen lamp, geen lantaarn, niets. Geen lucifers.

Nee, ik ga toch weg. Heb geen tijd te verliezen. Beneden is het warmer, tussen de bomen is er beschutting, valt er geen sneeuw. Hoe ver zijn de bomen? Honderd meter, denk ik. Die kant moet ik op.

Ik sta op. Mijn heup. Mijn rug. Mijn hoofd duizelt. Rustig. Beetje bij beetje, voet voor voet. Ik wil weg van het vliegtuig. Van de dood. Ik moet op de zusjes passen, maar ik weet niet waar ze zijn.

'Esther? Josefa?'

Ik heb ze niet gehoord, hun stemmen zou ik zo herkennen. Misschien kom ik ze straks tegen, zijn zij al naar het dal gebracht.

Ik klim over een steen heen, op mijn billen glijd ik een stukje naar beneden. Ik probeer eerst houvast te vinden met mijn linkervoet, met de schoen, dan ga ik voorzichtig op mijn blote voet staan. Van de panty is niets meer over, rafels hangen rond mijn enkel. De volgende steen wankelt, ik val. Mijn rechterhand schuurt over een rots, het doet pijn, ik laat de paraplu vallen, raap hem weer op. Voorzichtig, geen haast. Beetje bij beetje, stap voor stap. Ik twijfel bij elk groter rotsblok. Aan welke kant moet ik erlangs? Wat is de kortste weg? Ze leggen valstrikken voor me neer, ik glijd steeds weg, mijn blote voet wordt gepijnigd door de struiken die zich tussen de stenen hebben verstopt, maar ik merk er steeds minder van. Ik verlies mijn andere schoen. Ik heb geen tenen meer, lijkt het.

Ik moet weer huilen.

Ik kan het niet. Ik kan niet hier weg. Ik ga het niet redden. Ik zal verdrinken in deze zee van rotsblokken. Ze zullen me nooit vinden, ze zullen denken dat ik ook onherkenbaar verkoold ben. Ik moet in de buurt van het vliegtuig blijven. Misschien wakkert het vuur weer aan, dan kunnen ze de vlammen zien. Zou iemand het al gezien hebben? Het moet een grote brand zijn geweest. Een explosie. Al hadden we niet veel brandstof meer, we waren er bijna.

Woont hier werkelijk niemand? Op een kwartier van Madrid?

Hallo? Hoort iemand mij? Ik kan niet schreeuwen, het geluid smoort in mijn keel. Ik ben nog jong, ik moet sterk zijn. Ik kan het niet. Ik ben niet sterk. Ik heb het koud, ik heb pijn.

Ik voel de rots naast me. Hij is aan de bovenkant vlak. Ik ga erop zitten. Even uitrusten. Dan terug naar het staartstuk. Mijn staartstuk. Mijn kamer van de laatste zes maanden.

HOOFDSTUK 29

De taxi kronkelt naar boven door het rijk der doden. De rit over het kerkhof is oneindig. Tienduizenden graven tegen de rotswand vergezellen Ana en Miguel op een tocht die hen steeds hoger op de Montjuïc brengt. Tot acht hoog zijn de nissen opgestapeld. De dood is als het leven: de minder bedeelde mensen wonen in hoge flatblokken, de rijken in vrijstaande huizen met een tuin. Hun graven zijn familiepantheons, ook voor na het leven hebben ze een eigen villa voor zich laten bouwen, soms zelfs door beroemde architecten. De meeste van de 250 000 graven op de Montjuïc zijn gestapelde nissen.

Ana en Josep María hebben weliswaar altijd in een flat gewoond maar wilden geen benauwde nis voor hun dochter.

De taxi rijdt door, de ene haarspeldbocht na de andere. Het is maandagochtend en rustig op de begraafplaats. De weg naar het hiernamaals leidt tot grote hoogten. De oudste graven liggen en staan beneden, maar mensen blijven doodgaan en inmiddels is de top van de heuvel bereikt, zo'n honderdvijftig meter hoog. Toen Maribel werd begraven, was haar rij de hoogste van het kerkhof, maar er zijn inmiddels duizenden graven bijgekomen. Je mag met de auto over de begraafplaats, het is niet te belopen. Er rijdt zelfs een stadsbus, met een half dozijn haltes in het hiernamaals. Ana heeft nog nooit de bus genomen.

De nissen dragen slechts namen en af en toe een foto van degene die heenging. De graven op de grond, ongeveer een meter hoog omdat in de bodem van de gigantische rots niet te spitten is, worden gekroond door gekwelde engelen, kruizen, leeuwen, honden en andere beeldhouwwerken. De zigeuners hebben levensgrote poppen van hun overleden patriarchen gemaakt, of een echtpaar dat al jaren in een zee van kleurige kunstbloemen vrolijk over de andere graven heen kijkt en de auto's ziet passeren.

Op een boomrijke laan die licht omhoogloopt houdt de taxi halt. Ana en Miguel stappen uit. Ze hoeft nog niet te betalen; over twee uur komt de chauffeur terug, Ana Bernal is zijn trouwste klant.

Miguel weet wat een kerkhof is, zegt hij. Omdat hij er vroeger altijd speelde, beneden in Poblenou, boezemen de doden hem geen angst in. Nooit heeft hij geesten uit graven zien opstaan of mysterieuze kreten gehoord. Het meest schokkend waren de botten die uit een graf werden geruimd als een nieuw familielid moest worden begraven. Opa die plaatsmaakte voor zijn kleinzoon. De knoken werden gewoon bovenop de nieuwe kist teruggelegd voordat het graf weer werd dichtgemetseld. De rouwende begrafenisgangers stonden erbij. De bleke botten bewezen ten overvloede dat er geen leven in de nis meer was.

Ana gaat Miguel voor naar de rand van de heuvel. Voor hen opent zich de zee, de haven met tienduizenden containers, met de cruiseschepen die voor veel bejaarde passagiers de voorlaatste halte voor de begraafplaats zullen zijn.

'Kijk,' zegt Ana, en ze wijst naar een vliegtuig laag in de lucht, net boven de horizon van de Middellandse Zee. 'Een mooiere plaats kan Maribel niet hebben. Van deze kant landen bijna alle vliegtuigen, soms wel elke minuut één. En daaronder de grote zeeschepen als die van haar opa. De lucht en de zee, en zij ligt er precies tussenin.

Het uitzicht is overweldigend, de frisse zeelucht waait het kerkhof binnen, de ochtendzon warmt het alom aanwezige marmer op. Het is meer een plaats om van het leven te genieten dan om te rouwen.

'Voordat je zelf doodgaat moet je hier minstens één keer zijn geweest om de schoonheid van je laatste rustplaats te ontdekken, anders is er niets aan,' zegt Ana. 'Ik ben hier sinds december 1958 elke maand geweest, niet alleen op 25 februari. Ik ken elk hoekje van dit deel, ik ken de buren van Maribel; sommigen hebben vreselijk lelijke graven, maar dat kunnen ze zelf gelukkig niet zien. 'Hier, je kunt haar al zien. Hier is mijn dochter.'

Schuin van achteren ziet Miguel de stenen buste

van een stewardess. Geen kruis of engel, maar een heus mens. Een jonge vrouw richt zich op vanaf het hoogste deel van de tombe. Hij loopt er behoedzaam naartoe en gaat aan haar voeten staan. Althans, er zijn geen voeten. De buste begint bij haar middel, de armen die langs haar lichaam hangen eindigen net onder de elleboog. Het is het meisje van het schilderij. En van de foto's. Ze heeft een jasje met drie prachtige ronde knopen aan, met daarboven een dubbele kraag. Ranke, vrouwelijke schouders die schuin aflopen. Ze is elegant. Het haar krult licht, onder het kleine ronde hoedje van de foto's uit. Haar lippen zijn vol, haar neus niet te groot. Het hoofd helt licht naar één kant. De ogen... de ogen zijn leeg. Ze zijn, net als de rest, van steen. En toch lijkt het of ze hem aankijkt.

'Een familielid, een oom van mijn man, was beeldhouwer,' vertelt Ana. 'Hij heeft dit voor ons gemaakt. Herinner je je de foto in het album nog, die waar ze op de trap van het vliegtuig staat? Dat was zijn inspiratie. Zo wilden wij ons haar herinneren. Voor altijd. Niet zoals ze was toen we haar moesten identificeren, in een vreselijke zaal in Madrid, waar we vanuit de herberg met alle familieleden van de slachtoffers heen waren gebracht. En wij hadden nog het geluk dat Maribel nauwelijks gewond was, zelfs bijna onaangetast. De meesten waren verbrand. Ik zal nooit de vader van twee zusjes vergeten; hij was zo geschokt bij het zien van zijn meisjes dat hij bewusteloos raakte, alsof hij daar ter plekke met hen mee wilde, weg van deze wrede wereld.'

Ana slikt even. Het is lang geleden dat ze een traan in haar ogen heeft voelen opwellen. Ze kijkt weer naar Maribel.

'Hier, in steen, is ze onsterfelijk geworden, eeuwig jong. Zie je hoe ze eruitziet? Ruim drieënveertig jaar lang verzorg ik haar elke maand; ze is prachtig gebleven.'

Miguel beweegt niet, probeert de blik van de stewardess te beantwoorden. 'Praat u soms met haar?' vraagt hij.

'Ja,' zegt Ana, 'natuurlijk praat ik met haar. Over wat er gebeurd is in de maand na mijn vorige bezoek. Niets bijzonders. Dat is ook goed voor mijn eigen geheugen, dingen herinneren. Schrik niet, ik weet echt wel dat ze me niet hoort. Althans, niet hier. Daarboven misschien wel. Als ik naar haar kijk, weet ik dat ze me ziet, dat ze weet dat ik hier ben.'

Miguel kijkt over de zee, naar het volgende vliegtuig dat de landing heeft ingezet.

'Ik zou je iets willen vragen,' gaat Ana door, 'maar als je het niet kunt doen, geeft het niet. Ik ben denk ik niet zo lang meer hier, Miguel. Ik word ouder, ik merk het. Op mijn leeftijd besef je wanneer het einde echt nadert. Niet morgen, of overmorgen. Maar ik kan mezelf niet zo goed meer redden. Op een gegeven moment zullen ze me naar een bejaardenhuis brengen, omdat niemand meer voor me kan zorgen. Mercedes heeft het al zo druk, mijn zus Carmen heeft haar eigen sores. Ik vertel je nu al: de dag dat ik mijn flat moet verlaten zal de eerste dag van mijn nakende dood zijn.

Maar als dat gebeurt, dan zal Maribel hier alleen blijven. Zonder bezoek. Zonder mensen die haar liefhebben. Slechts met de meeuwen die hier altijd vliegen. Mercedes heeft me beloofd dat ze af en toe een kijkje zal komen nemen. Jij bent nog jong, je kent Maribel nu een beetje. Zou je haar af en toe kunnen opzoeken? Eén keer per jaar, op Allerheiligen desnoods, al is het dan belachelijk druk. Eén keer per jaar. Om het graf een beetje schoon te maken, het onkruid te wieden, misschien een bloemetje neer te leggen, maar dat hoeft niet echt. Als ze maar niet helemaal vergeten wordt.'

'En de familie?' vraagt Miguel.

'Weinig mensen hebben haar echt gekend. Mijn neefje en nichtje, nu mensen van in de vijftig jaar, maar zij waren nog kinderen toen hun nicht Maribel overleed. Ik weet niet of ze hier zullen komen, ze zijn in al die jaren nooit met me mee geweest; daarom ben ik je zo dankbaar.'

'Dat hoeft niet,' zegt Miguel. 'Ik wilde haar leren kennen. Ik zou graag een keer vliegen, zeker nu ik die toestellen hier zie landen. Barcelona van bovenaf zien. Ik kende deze plaats niet, maar ik beloof u dat ik zal terugkomen.'

Ana Bernal zoekt steun bij het stenen muurtje. Er is geen stoel of steen om op te zitten.

'Dank je, nogmaals. Echt. Je hebt geen idee wat dit voor mij betekent.'

'Maar u gaat nog lang niet dood, señora Ana. Ik denk dat ik u nog veel menu's zal voorzetten.'

'De kabeljauw, alsjeblieft. Dat is mijn favoriet.'

'Morgen laat ik speciaal een bord voor u bereiden. De baas vindt dat wel goed.'

Ana moet lachen. Ze nodigt de jonge ober uit het grafschrift op de tombe te lezen, een perkament in steen gebeiteld. Ze weet dat het een dramatisch verhaal is, maar het reflecteert het verdriet van toen, van de donkerste en koudste winter uit hun leven.

'Zou je het hardop willen lezen, Miguel? Je hebt een mooie stem.'

'Ik ben niet zo'n goede lezer, ik lees geen boeken of zo.'

'Geeft niet, je bent lang genoeg, je kunt je over het graf buigen en goed zien wat er staat.'

'Oké.' Hij steunt met zijn handen op de tombe, voor hem staat de geboortedag van María Isabel Sastre Bernal, 25 februari 1940. Daaronder de mededeling dat ze, tijdens uitoefening van haar werk, op 4 december 1958 is overleden in de Sierra van Guadarrama.

Verder naar boven de lange tekst, een geschrift verweerd door de tijd.

'Vliegen was je wens, en je vloog zo hoog, zo hoog dat je verdween. In een bries van zaligheid zullen je nieuwe vrienden in de lucht engelen zijn zoals jij. Je gaat, en op aarde laat je een enorme leemte van tranen na. Het van pijn vertrokken lichaam dat je in onze harten achterlaat is een onuitwisbare herinnering aan je tederheid, je schoonheid, je charme en je jeugd. Kom, kom met je vliegtuig vol liefde en vrolijkheid en neem ons zo snel mogelijk met je mee.'

Miguel moet slikken. Het is bijna stil op de berg, van beneden komt het zachte geraas van de auto's op de ringweg. Een grote kraan kraakt op rails in de haven.

'Miguel?'

'Ja, señora Ana?'

'Mijn man overleed al twintig jaar geleden.'

'Ja, ik weet het. Het spijt me.'

'Geeft niet, Miguel. Dat hoeft niet, spijt.'

'Sorry.'

'Miguel?'

'Ja, señora Ana?'

'Ik wacht al 43 jaar op dat vliegtuig.'

HOOFDSTUK 30

De oude, militaire bus rammelde over hobbelige wegen door de vallei. Bij elke bocht, en dat waren er veel, werd Rafael Castillo tegen het raam gedrukt of richting het gangpad gezwiept. De chauffeur deed alsof er alleen maar soldaten aan boord waren, niet een twintigtal vermoeide, door onverdraagbare onzekerheid gekwelde mensen. De dag was al lang geweest, maar er kwam geen einde aan.

Toen niemand er meer in geloofde, toen ook in het commandocentrum in El Escorial, waar ze aimabel door een kolonel-generaal waren ontvangen en geïnformeerd, geen enkel bericht over een teken van het vliegtuig binnensijpelde, brak de donkere hemel open en bereikte hun het nieuws uit Ortigosa del Monte en San Rafael. Daar, aan de voet van een berg die De Dode Vrouw heette en waarvan Rafael nog nooit had gehoord, had een dorpsbewoner op donderdagavond een knal gehoord, een explosie waarschijnlijk. En een lichtflits in de hemel gezien, ergens aan de zuidkant van de keten, bij de buik of de knie of de voet van

De Dode Vrouw. Rafael begreep er niets van, ook de meeste andere familieleden niet. Alsof er in militaire geheimtaal werd gesproken, een dode vrouw met een knie. Een soldaat uit Segovia vertelde hun het verhaal, van het aangezicht van de bergketen, van de immense vrouw die daar ooit ineen was gezegen en nu elke dag, als de wolken niet te laag hingen, vanuit de stad en de dorpen in de vallei was te bewonderen.

Het was geen goed nieuws, natuurlijk, een explosie. Maar het was iets. Een enkeling had zelfs de motoren van een laagvliegend vliegtuig gehoord, kort voor de knal. De militairen namen dat aanvankelijk niet serieus – mensen zien en horen graag dingen wanneer ze verhalen in de krant hebben gelezen. Maar er kwamen meer getuigenissen, allemaal gelijkluidend. Het tijdstip klopte ook. En het was ook logisch. Trok je een rechte lijn over de landkaart van Vigo naar Madrid, dan kwam je precies daar over de Sierra de Guadarrama. De autoriteiten en de mensen van Aviaco hadden gedacht dat de piloot was uitgeweken, om een dreigende wolk of sterke turbulentie te vermijden, maar waarschijnlijk was hij dus gewoon rechtdoor gevlogen.

Besloten werd de basis van de zoektochten naar Ortigosa del Monte te verleggen, een uur rijden met de bus. De familieleden mochten mee. Er was een kleine herberg met een restaurant; ze konden er eten als ze wilden. De volgende ochtend zou daar een grote speuractie beginnen, richting twee of drie toppen, de laatste bergen op de route naar Madrid. De families moesten wel accepteren dat zij niet mee mochten de bergen in. Dit was werk van professionals, van militairen, van agenten van de Guardia Civil, en eventueel van vrijwilligers uit de omgeving, mensen die het terrein kenden. Rafael Castillo wilde graag mee naar boven. De volgende ochtend zou hij het gewoon proberen.

Nu werd hij in de bus heen en weer geslingerd; de stoelen waren van hout, de schokbrekers en wielen leken daar ook van gemaakt. De reis van Barajas naar El Escorial hadden ze in dezelfde bus gemaakt. In volledige stilte. Niemand sprak, ook leden van dezelfde familie praatten niet met elkaar. Alles was al gezegd, die dag. 's Morgens waren er nog betrokkenen monter gearriveerd, ervan overtuigd dat binnen enkele uren de hereniging zou plaatsvinden. Hoop die wegvloeide in een onderkoelde zaal van de terminal, waarvandaan ze het ene na het andere vliegtuig konden zien landen en opstijgen. Iedereen kwam op zijn of haar bestemming aan. De gelukzaligen.

Het was opgehouden te sneeuwen, maar het bleef even koud. In de bergen kon je geen twee nachten in de openlucht overleven. Maar wie zei dat Josefa en Esther onder de blote hemel moesten slapen? Het vliegtuig zelf kon een beschutting zijn. En zo schommelde Rafael de hele dag tussen twee uitersten, de hoop en het verdriet, het leven en de dood, het geluk en de wroeging, de goede afloop en het einde van de wereld.

Het was bijna tien uur toen ze in de herberg arriveerden. La Venta de Santa Lucía lag aan de hoofdweg van

Madrid naar Segovia, een pleisterplaats voor reizigers die vanuit het noorden naar de hoofdstad kwamen. Als de meisjes nou met de bus of de auto waren gekomen? Rafael zette het idee direct weer uit zijn hoofd. Als... Hij stapte met de andere mensen de warmte in. Een haardvuur knetterde aan één wand; er stonden grote fauteuils en tafels. De eigenaar bracht reusachtige pannen Madrileense soep, de damp steeg op naar de houten balken aan het plafond. Er werden kommen op tafel gezet. Boven waren slaapkamers. De eigenaar vroeg wie bij wie sliepen, met hoeveel ze waren. Bijna niemand nam het aanbod van een bed aan. Ze zouden hier beneden blijven, zeiden ze. Een tweede rusteloze nacht. Slapen was uitgesloten wanneer de dierbaren ergens daar boven op de berg waren, vechtend voor hun leven.

Ja, dat dacht Rafael nu, dat ze nog leefden. Dat dachten meer betrokkenen, nadat ze de militairen hadden aangehoord. Die vertrouwden erop het vliegtuig gewoon ergens aan te treffen, de inzittenden veilig en ongedeerd. Anders zouden ze niet aan deze race tegen de klok zijn begonnen, met zo veel manschappen. Ze voelden dat een wonder mogelijk was. Bij de meeste vliegtuigongelukken tot nu toe hadden de meeste passagiers en bemanningsleden het overleefd. Een noodlanding stond niet gelijk aan de dood. En commandant Pepe Calvo was niet de minste. Hij had het toestel vast ergens op de grond gezet. Hij had zijn passagiers en bemanning in veiligheid gebracht. Maar de tijd drong, de volgende ochtend moesten ze de Languedoc vinden. Niet nóg een nacht boven op de berg.

Rafael Castillo begon het te geloven. Anderen ook. In de warmte van het haardvuur kwamen de gesprekken weer op gang, en ze klonken anders dan die middag op Barajas. Rafael ging zitten bij de ouders van de stewardess, het waren Catalanen. Achttien jaar was hun dochter pas.

'Niet haar eerste vlucht, hoorde ik,' zei Rafael.

'Nee,' zei haar vader, 'ze vliegt sinds juni. Ze heeft al vaker kinderen onder haar hoede gehad. Ze heeft zelf geen broer of zus, ze vindt het heerlijk om kinderen bij zich te hebben.'

'Een van mijn dochters zal ook wel stewardess willen worden,' zei Rafael. 'We hebben er vier.'

'Vier? En allemaal meisjes?' De moeder van de stewardess moest lachen, voor het eerst. 'Nou, Josep María, ik zie je al, thuis. Vier dochters, met mij en je schoonmoeder erbij.'

'Liever vier dan niet een,' antwoordde haar man. De lach om haar mond verdween gelijk. 'Sorry,' zei hij.

'Morgen zijn ze allemaal beneden,' probeerde Rafael de sfeer te verlichten. 'Ik ben ervan overtuigd.'

De ouders van de stewardess keken elkaar aan.

'Nooit hebben we durven denken dat er een dag zou komen dat ze niet zou arriveren,' zei de moeder. 'In het begin waren we wel bang, maar dat is weggetrokken. Langzaamaan werd het gewoon een beroep, dat van Maribel – zo heet ze. Alsof ze de deur naar haar kantoor opende. In plaats van paperassen had ze passagiers. Het gevaar week voor de illusie. Binnenkort zou ik eens met haar meevliegen. Na vandaag weet ik echter niet of ik dat nog zou durven. En of zij nog wel stewardess wil blijven.'

Ze keken alle drie naar het haardvuur. Andere mensen zaten ook in groepjes. Ze kenden inmiddels elkaars verhalen wel. Morgen zou het huwelijksjubileum van de zus van de markiezen zijn. Een passagier was vanochtend vader geworden zonder dat hij het wist; zijn schoonzus wachtte hier op hem. Er waren drie familieleden van een jonge koopvaardijpiloot. De zoon en een compagnon van een Baskische ondernemer. Veel familieleden van de bemanning; de piloot had maar liefst vijf kinderen. De vrouw van een vroegere burgemeester. Zij was vandaag uit Galicië overgevlogen, net als enkele anderen. Die waren het laatst gearriveerd. De zus van een voetballer, Paredes. Rafael had wel van hem gehoord, maar hij was geen supporter van Celta de Vigo. De consul van Chili was niet meer teruggekeerd naar zijn kantoor; hij volgde op verzoek van de familie de zoektocht naar een jonge landgenoot. Er waren mensen met de bus uit Valencia en Murcia gekomen. Rafael had niet met iedereen gesproken, maar ze vertelden elkaars verhalen door.

De nacht verstreek sneller dan de dag had geduurd. Af en toe aten ze, bijna iedereen dommelde even in, de eigenaar stookte het haardvuur op met nieuwe houtblokken, legde broodjes met worst en kaas op tafel, en hield de koffie warm.

Regelmatig ging Rafael naar buiten, de kou in. Toen

het bijna ochtend was liep hij naar de achterkant van de herberg, waar hij de bergen goed kon zien. Ze leken niet eens zo hoog, hiervandaan. Hij zocht naar een lichtpuntje, een kampvuur, een zoekende of dalende lantaarn. Hij luisterde naar aparte geluiden, maar van de flanken rolden slechts levenssignalen van uilen en koeien. Hij vroeg zich af waar ze in 's hemelsnaam moesten gaan zoeken: er waren verschillende bergtoppen, kilometers van elkaar verwijderd. Op zo'n berg werd een vliegtuig heel klein, een stukje speelgoed opgeslokt door de indrukwekkende natuur. Sommige mensen uit Madrid trokken op zondag weleens de siërra in. In de winter gingen ze er skiën, in Navacerrada. Als de bergen eenmaal wit gekleurd waren bleef de sneeuw er vier, vijf maanden liggen. Die skiërs waren vast blij met de eerste sneeuwval van vannacht. Als ze vanuit Madrid de witte toppen zagen werd de lokroep onweerstaanbaar. Skiën was voor de rijken uit de stad. Rafael en Emilia en de meisjes waren zelfs op een zomerse zondag nooit de bergen in getrokken.

En als het heviger zou gaan sneeuwen, en het vliegtuig voor maanden onder een witte deken zou verdwijnen? Rafael Castillo schudde de gedachte samen met enkele sneeuwvlokken van zich af. Het was tenslotte nog niet eens echt winter en deze sneeuw vormde amper een laagje van een centimeter.

Rafael had spijt van zijn fatalisme. Vanaf het eerste moment had hij optimistisch moeten blijven. Dit was slechts een laatste beproeving, om te zien of hij en Emilia wel klaar waren hun dochters te ontvangen. Die vijf jaar konden niet zomaar in een eenvoudige omhelzing op het vliegveld eindigen. Maar toen ze gisteravond niet arriveerden vreesde hij direct het ergste, in plaats van dat hij de hoop omarmde. Bij de minste tegenslag had hij de meisjes weer in de steek gelaten. Hij had aan zichzelf gedacht, en aan Emilia, aan hoe zij zo'n verlies nooit zouden kunnen verwerken.

Rafael wist het zeker nu. Hij zou straks met de eerste groep militairen naar boven gaan. Het wachten was voorbij. Zijn vaderlijke instinct zou hem bij zijn dochters brengen. De oudste zoons van de piloot, tieners nog, wilden ook naar boven, hadden ze gezegd. Zij mochten wel mee, omdat hun vader militair was. Rafael zou zich bij datzelfde groepje voegen, dat konden ze hem niet weigeren.

Toen Rafael Castillo terugliep naar de voordeur van de herberg zag hij twee mannen op een paard en een derde te voet de weg oversteken. Aan de overkant lag het dorp.

'Goedemorgen,' zei er een. Rafael keek op zijn horloge, het was bijna half acht.

'Goedemorgen,' antwoordde hij.

'Zijn de soldaten er al?' vroeg de man. Een jongeman, eigenlijk. Hij was misschien net twintig jaar.

'Ik heb ze nog niet gezien,' zei Rafael. 'Jij bent ook militair?'

'Nee, we komen uit het dorp, we zijn boeren en herders. Bent u hier voor het vliegtuig?'

'Ja, alle families zitten hier binnen.'

De drie jonge mannen keken elkaar aan. 'Wat doen we?' vroeg de voorste aan de andere twee.

'We wachten nog even, tot kwart voor acht,' zei de andere ruiter. 'Als ze er dan niet zijn, gaan we vast vooruit. We kunnen deze mensen niet laten wachten.'

Beiden stapten van het paard, zonder de teugels los te laten.

'Pardon?' zei Rafael.

De eerste jongeman richtte zich weer tot hem. 'We hebben hier met de soldaten afgesproken, om te gidsen op de berg. Wij kennen De Dode Vrouw als geen ander. Iemand uit het dorp heeft donderdag een lichtflits gezien, op de knie of de voet, dat wist hij niet zeker. Wij weten hoe je daar kunt komen. Ons vee staat er in de buurt.'

Rafael rechtte zijn rug, de vermoeidheid gleed ervanaf.

'Kunnen wij mee?'

'Dat is niet aan ons. U kunt het best op de soldaten wachten, die doen het eerste stuk in jeeps, dat scheelt tijd en moeite.'

'Ik meld het even aan de anderen, als jullie het niet erg vinden.'

Rafael duwde de deur harder open dan hij gewild had. Alle gezichten draaiden zich verschrikt naar hem om. Hij wilde iets zeggen, maar struikelde over zijn eigen woorden.

'Drie mannen,' begon hij. 'Ze zijn hier.'

'Wie?' vroeg de vader van de stewardess.

'Mannen uit het dorp. De zoektocht gaat beginnen.'

Iedereen sprong overeind en vloog naar de deur. Buiten schrokken de twee paarden van de plotselinge drukte, de drie mannen uit het dorp weken iets terug.

'Wie bent u?' vroeg de zwager van de markies.

'Dat is Luciano Otero,' antwoordde de eigenaar van de herberg, die door het lawaai en het briesen van de paarden ook naar buiten was gekomen. 'Luciano. En zijn broer Paco. Ha, en Eugenio, de konijnenman. Goedemorgen, mannen.'

'Goedemorgen, Antonio,' antwoordde de jongeman die Luciano heette. 'We gaan vast, wil je tegen de militairen zeggen dat we ze boven wel zullen zien?'

Toen Luciano dat zei stormden enkele vrouwen op hem af. Ze pakten hem beet. In een verwarrende kakafonie hoorde Rafael hoe ze hem smeekten, hoe ze namen noemden, beschrijvingen. De piloot, de stewardess... De voetballer... Hij wilde niet achterblijven, hij móést het ook zeggen, misschien zou het helpen. Hij voegde zich bij het groepje, dat maar niet kalmeerde.

'Ze zijn nog zo klein,' riep hij, 'mijn dochters, negen en tien jaar, donker en blond. Esther en Josefa heten ze!'

Rafael Castillo wist niet of de herder hem had gehoord, over alle vrouwenstemmen heen, maar de jongeman uit het dorp keek hem even aan voordat hij zich losmaakte van de vrouwen en zijn paard besteeg.

HOOFDSTUK 31

Het is donker, nog steeds. Jammer. Ik wilde in dat licht blijven. Dat heb ik net gezien. Een tunnel, verblindend zo wit. Het was niet koud in de witte tunnel.

Hier is het koud. Ik draai me een beetje om, het kost me moeite. De vlammen zijn gedoofd, ik zie nog slechts een lichte rode gloed boven de wrakstukken. Ik kan me niet verder omdraaien, het staartstuk zie ik niet. Ik ga het niet redden, de weg terug. Vijf, zes rotsblokken over, dat was al te veel. Mijn voeten zijn weg, ik voel ze niet meer. Ik ga geen krachten verspillen, in het staartstuk is het toch ook koud.

De mist is opgetrokken. Ik zie lichtjes, heel ver weg, in de diepte. Ik zit hier heel hoog, zie ik nu. De zee van rotsblokken voor me is onbegaanbaar. Hoelang liggen ze hier al? Miljoenen jaren. Ik ben er net een uur. Ik ben een indringer, ik heb hun rust verstoord. Maar ik mag ook niet meer weg van ze. Ik word een van hen. Een steen op de berg. Niemand zal me ooit vinden.

Voor altijd op de berg, hoog in de lucht. Het is wat ik wilde.

Ik zie meer lichtjes, nog verder weg. Ze trillen. Er zijn geen bergen daar. Een grote vlakte. Hoe vaak zijn we daar niet overheen gevlogen? De vlakte is een beetje bruin nu, grauw, aan het einde van de herfst. In de zomer is ze het mooist, goudgeel. Van boven is het land overal even mooi. Afwisselend, maar even mooi. De bergen, de bossen, het water. De dorpjes met hun kerktorens, bakens midden in een grote leegte. Vaak vraag ik me af hoe ergens mensen kunnen wonen, ver van alles vandaan. De kleine stipjes die ik zie, een auto, een tractor. Waar gaan ze heen, waar komen ze vandaan? Hoe ziet hun dag eruit? Een week uit hun leven. Een jaar. Altijd daar, in het niets, tussen twee dorpen in?

Hierboven woont vast niemand. Ik zie niets wat op een huis lijkt. De bergen laten zich niet zo gemakkelijk veroveren.

Zou deze berg een naam hebben?

Het begint weer te sneeuwen. Ik buig opzij en pak de paraplu, mijn hoedje valt van mijn hoofd. Ik kan er niet bij. Ik ga weer rechtop zitten en klap de paraplu uit. Het sneeuwt niet hard, maar ik wil niet nat worden. Het is al zo koud. Mijn handschoentjes helpen niet, die zijn slechts voor de show. Ze staan wel mooi. Het lijkt of er geen vingers meer in de handschoenen zitten. Ik voel ze niet.

Wat heb ik gedaan? Ik had alle passagiers in Vigo moeten zeggen dat ze niet aan boord moesten gaan. Dat de commandant niet wilde vliegen. Dat het te gevaarlijk was. Ik heb ze meegenomen de dood in terwijl ik het had kunnen voorkomen. Ik had het ten minste tegen de opa moeten zeggen: 'Houd uw kleindochters alstublieft hier, ze kunnen beter een dag later reizen'. Ik heb het niet gezegd. De opa is nu thuis, in afwachting van het bericht over hun goede aankomst. Hij zal het mij nooit vergeven. Hij zal het zichzelf nooit vergeven, dat is nog erger. Maar dat is mijn schuld, ik had hem deze tragedie in zijn laatste levensjaren kunnen besparen. Ik ken de ouders van de meisjes niet. Ik keek uit naar de aankomst, de ontvangst in Madrid. De vader en misschien ook moeder, die blik, de vreugde, de blije verwachting. De extase. Dat komt vaak voor. Soms zijn mensen lang weg van huis, ver weg van hen die zij liefhebben. Maar ze komen ooit terug. Mijn passagiers niet, de zestien van vandaag. Ze zullen nooit thuiskomen. En thuis zal nooit meer hetzelfde zijn.

Sorry, Josefa.

Sorry, Esther.

Zeg tegen jullie ouders dat het me spijt. En opa, als jullie hem zien. Zeg hem alsjeblieft dat het zijn schuld niet is.

Spijt? Ik kan er ook niets aan doen. Ik ben maar een stewardess. Ik ben achttien. Als de bazen zeggen dat we moeten vliegen, dan doe je dat. Zelfs Pepe Calvo deed het, en hij is een stuk ouder dan ik.

Ik zou het weer doen. Ik wíl het weer doen. Ik wil weer vliegen. Hier word ik niet bang van, dit hoort erbij. Je kunt maar één keer in je leven neerstorten. Een vuurdoop, zullen ze het noemen. Passagiers zullen graag bij mij aan boord gaan. Als ze één keer is neergestort is de kans nihil dat het haar een tweede keer overkomt, zullen ze denken. Ze hebben gelijk.

Ik wil naar Chili. Ik moet de ouders van Ignacio spreken. En zijn nicht. Hun vertellen wat er gebeurd is. Hoe vreugdevol hij was. Vol levenslust. Dat we zouden afspreken, in Madrid.

Honderd meter hoger en ik kan Madrid zien. Het is niet mijn stad, maar wat geeft het. Er is leven. Hierachter, aan de andere kant van de top, zo dichtbij. Het is er druk, om deze tijd van de dag. Wat is het? Vrijdag? Nee, donderdag. Iedereen klaar met werken, de laatste inkopen. En niemand die me ziet of hoort.

Mama? Hoor je me?

Mama is net klaar met werken, papa komt straks thuis. Morgenavond gaan ze uit eten, altijd op vrijdag. Ik moet ze bellen, maar hier is geen telefoon. De radio in het vliegtuig deed het niet. De cockpit is er niet, dan is er ook geen radio.

Ongelooflijk, dat we elke dag weer de lucht in gingen, ondanks de mankementen. Hoe houden deze toestellen het vol? Slijten ze niet?

Ik hoor een vogel, een uil denk ik, ergens beneden in een boom. Een teken van leven. Ik ben niet de enige hier. Uilen slapen overdag.

Ik wil nu wel slapen, eigenlijk. Misschien gaat de kou dan weg. En de hoofdpijn. En dan hoef ik de paraplu niet meer op te houden. Hij wordt zwaar, ik wissel van hand. Gelukkig waait het niet.

Ze hebben foto's van me gemaakt, als stewardess. Op mijn eerste dag al. Ik moet ze eens opvragen, aan papa en mama laten zien. Ze zullen wel trots zijn. Ze hebben me nog nooit in een vliegtuig gezien. Wel in uniform, thuis, maar dat is niet hetzelfde. Ze moeten me eens boven aan de trap zien staan, in de deur van het vliegtuig. Dat ben ik. Dat wilde ik zijn. Altijd al. Mijn hele leven lang. Ik heb het bereikt. Ik sta altijd vrolijk op die foto's. Zelfs nu glimlach ik, ik weet het zeker.

Het rillen van mijn lichaam is gestopt. Ik laat de paraplu zakken, de sneeuw doet me niets meer. Het voelt wel aangenaam, de vlokken. Ik vang er een op mijn tong. Zacht, water. In Barcelona sneeuwt het nooit. De vlokken vallen op mijn handschoenen, op mijn rok. Een lelijke rok eigenlijk, vormloos. Moeten we toch eens wat van zeggen. En van dat afzichtelijke winteruniform. Al zou ik willen dat ik het vandaag aanhad. Wist ik veel dat we op een berg zouden landen. Wanneer ik het hun vertel zullen papa en mama het niet geloven.

Ik kijk het dal in, de lichtjes zijn weg. Ik zie ze niet meer. Overdag moet het uitzicht betoverend zijn. Ik zal papa eens verleiden tot een wandeling deze berg op. De berg van zijn dochter.

Ik ben je voor eeuwig dankbaar, papa, dat ik dit mag doen. In de lucht ben ik gelukkig.

Vergeef me mama. Ik heb je nog altijd niet meegenomen op een vlucht.

Ooit zal het er van komen, dan zullen we samen vliegen.

Ik beloof het je.

NAWOORD

Het toestel Languedoc MB-161, kenteken EC-ANR, vlucht Vigo-Madrid, verongelukte op 4 december 1958 tussen 18.15 en 18.20 uur in de Sierra de Guadarrama (Segovia), toen het tegen de wand van de berg Pico Pasapán vloog, ook wel de knie van De Dode Vrouw genaamd. Alle zestien passagiers en vijf bemanningsleden kwamen om het leven.

De bemanning bestond uit piloot José 'Pepe' Calvo Nogales (Madrid), copiloot José González Nicolás (Madrid), radiotelegrafist Pedro Sacristán Vaqueriza (Cantalejo, Segovia), boordwerktuigkundige Enrique Anuncibay Mesanza (Vitoria) en stewardess María Isabel Sastre Bernal (Barcelona).

De passagiers waren het echtpaar Pepe Ramón Pardo de Castro en María Isabel Cerqueira Urizar, de Markiezen van Leis (Vigo); de zusjes María Josefa en María Esther Castillo Gesteira (Pontevedra); de Chileense student Manuel Ignacio Jorge Tagle Arcaya (Santiago de Chili); Ángel Antonio Martínez Seijas (Madrid); de oud-voetballer Ramiro Paredes Ramos 'Pareditas' (Vigo); de handelsreiziger

Ángel Murcia Valcárcel (Barcelona); de oud-burgemeester José Pita Durán (Sanxenxo); Honorio Cerro Doral (Pontevedra); de koopvaardijpiloot Javier Caparrini Arosa (Madrid); de fabriekseigenaar Jesús Quesada Barrio (Bilbao); Rosa Martínez María Sabino (Valencia); de mecanicien Leonardo Priego Cordero (Vigo); Arturo Carbonell Riquelme (Molina de Segura, Murcia) en Emilio Cerezo Piñeles (Madrid).

Ana Bernal Arias, moeder van stewardess Maribel, overleed in 2004 op negentigjarige leeftijd, na het laatste halfjaar in een bejaardenhuis te hebben doorgebracht. In haar flat aan de Bailénstraat in Barcelona woont nu een achternicht. De kamer van Maribel wordt verhuurd aan studenten. Ana's man Josep María Sastre overleed in 1981.

Emilia Gesteira Pino, moeder van de zusjes Josefa en Esther, is zevenentachtig jaar en woont nog altijd in dezelfde flat in de 'postbodekolonie' Margarita in de wijk Canillejas bij Madrid, samen met haar jongste dochter, Teresa (achtenvijftig). De oudste dochter, Carmen (negenenzestig), woont in een stad in de buurt van Madrid. Rafael Castillo, echtgenoot van Emilia en vader van de zusjes, overleed in 1994.

Van de vijf kinderen van piloot Pepe Calvo Nogales zijn vier in de luchtvaart terechtgekomen. Drie zoons zijn piloot, een dochter is stewardess.

Celso González, tandarts uit Vigo, verscheen niet op het vliegveld van Vigo omdat zijn dochter ziek was geworden en hij op het laatste moment verkoos thuis te blijven.

Boer Luciano Otero (zevenenzeventig), die als eerste het vermiste vliegtuig vond, woont nog altijd in Ortigosa del Monte (Segovia), aan de voet van De Dode Vrouw.

Op de flanken van de Pico Pasapán, ofwel de knie van De Dode Vrouw, staat ongeveer honderd meter onder de top een geïmproviseerd monument van opeengestapelde stenen ter herinnering aan de vliegramp. Er zijn geen resten van het toestel meer te vinden.

In 1958 vonden in de hele wereld achtentwintig vliegrampen met doden plaats. Daarbij kwamen 893 mensen om het leven. Het ernstigste ongeluk was dat van een KLM-toestel, bekend als Hugo de Groot, dat op de vlucht van Amsterdam naar New York in de Atlantische Oceaan stortte. Alle negenennegentig inzittenden kwamen om het leven.

DANKWOORD VAN DE AUTEUR

Het schrijven van deze roman zou onmogelijk geweest zijn zonder de hulp van familieleden en andere betrokkenen. Ik bedank Sergi en Clara Armengou Gallardo, Montserrat Gallardo en Mercedes Muñío del Río, allen uit Barcelona, voor hun verhalen over Ana Bernal Arias, Josep María Sastre en hun dochter, stewardess Maribel Sastre Bernal, en het verschaffen van oude foto's en ander materiaal; Teresa Castillo Gesteira uit Madrid voor haar relaas over haar ouders, Emilia Gesteira en Rafael Castillo, en de dood van haar zusjes Josefa en Esther; Lourdes Calvo uit Madrid voor haar herinneringen aan haar vader, piloot Pepe Calvo Nogales; Blanca Anuncibay Mendi uit Madrid voor haar verhaal over haar vader, boordwerktuigkundige Enrique Anuncibay; Carlos Tagle uit Santiago de Chili voor het verhaal over de odyssee van zijn oom, student Manuel Ignacio Jorge Tagle; Luciano Otero uit Ortigosa del Monte voor zijn gedetailleerde relaas over de vondst van het vliegtuig door hemzelf, zijn broer Paco en konijnenjager Eugenio; Juan Pedro Velasco Sagayo uit Segovia voor het delen van de geheimen van De Dode Vrouw en het wijzen van de weg naar de vindplaats van het vliegtuig; historicus César Olivera Serrano voor het delen van zijn onderzoek naar de oorzaak van de ramp; Carlos Pérez San Emeterio voor zijn boek *A estas alturas* (Editorial Noray, 2003), waarin ik waardevolle informatie vond over het Spaanse luchtverkeer, Aviaco en het leven van stewardessen in de jaren vijftig. Andere schriftelijke bronnen waren de archieven van de dagbladen ABC, *El Noticiero Universal*, *La Vanguardia* en *El Adelanto de Segovia*, en de tijdschriften *Gente de Segovia* en *Cabagata*. En ten slotte bedank ik Maribel Tramullas Gallardo uit Barcelona omdat zij mij in 2006 attendeerde op het bijzondere graf van Maribel Sastre op de begraafplaats van Montjuïc, dat de inspiratie heeft gevormd voor deze roman.

Foto's hiernaast

Linksboven piloot Pepe Calvo Nogales (rechts) praat met een hoge officier (FOTO HERMENEGILDO MENÉNDEZ)

Rechtsboven Maribel als jong meisje (FAMILIEALBUM ANA BERNAL ARIAS)

Linksmidden Maribel's moeder Ana (IDEM)

Rechtsmidden de zusjes Josefa en Esther (FAMILIEALBUM EMILIA GESTEIRA)

Onder de bergketen De Dode Vrouw gezien vanuit Segovia, met van links naar rechts het liggende hoofd op een kussen, de handen gevouwen op de borst, de buik, de knie en de voet (FOTO AUTEUR)

Foto volgende bladzijden

De begrafenis van Maribel Sastre, op 9 december 1958 in Barcelona, op de kruising van de straten Bailén en Caspe. Op de achtergrond het restaurant Soley, rechts daarboven – verborgen achter de bomen – de woning van de familie Sastre Bernal

(FOTO CARLOS PÉREZ DE ROZAS)

Foto's achterzijde omslag

Maribel Sastre in de deuropening van een vliegtuig van Aviaco, in 1958; haar graf op de begraafplaats Montjuïc in Barcelona; auteur Edwin Winkels bij een geïmproviseerd monument voor de slachtoffers op de plek waar het vliegtuig neerkwam, op een hoogte van tweeduizend meter op de flanken van de knie van De Dode Vrouw